D1112927

Les coulisses de la magie
1. Les classiques

Du même auteur

Les coulisses de la magie, 2. Les cartes, Montréal, Les Intouchables, 2008.

Les coulisses de la ★ magie

1. LES CLASSIQUES

Marc Trudel

LES ●INTOUCHABLES

Les Éditions des Intouchables bénéficient du soutien financier de la SODEC et du Programme de crédits d'impôt du gouvernement du Québec.

Nous remercions le Conseil des Arts du Canada de l'aide accordée à notre programme de publication.

Nous reconnaissons l'aide financière du gouvernement du Canada par l'entremise du Programme d'aide au développement de l'industrie de l'édition (PADIÉ) pour nos activités d'édition.

LES ÉDITIONS DES INTOUCHABLES
4701, rue Saint-Denis
Montréal, Québec
H2J 2L5
Téléphone : 514-526-0770
Télécopieur : 514-529-7780
www.lesintouchables.com

DISTRIBUTION : PROLOGUE
1650, boulevard Lionel-Bertrand
Boisbriand, Québec
J7H 1N7
Téléphone : 450-434-0306
Télécopieur : 450-434-2627

Impression : Marquis imprimeur inc.
Conception de la couverture : Jimmy Gagné
Photographie de la couverture : Shutterstock • Anyka
Infographie : Geneviève Nadeau
Photographie de l'auteur et photographies intérieures : Karine Patry

Dépôt légal : 2008
Bibliothèque et Archives nationales du Québec
Bibliothèque nationale du Canada

ISBN : 978-2-89549-342-6

Les détails font la perfection,
et la perfection n'est pas un détail.

LÉONARD DE VINCI

INTRODUCTION

Débuter en magie peut être un peu ardu. J'ai moi-même connu quelques frustrations à mes débuts. Après avoir reçu une trousse ou un livre de magie, on se retrouve souvent devant des explications peu claires et des tours qui ne sont pas toujours très pratiques.

J'ai écrit cette série en prenant soin d'inclure les tours que j'aurais aimé apprendre à mes débuts. La magie est une forme d'art magnifique et les différents styles de magie sont très variés. J'ai inclus plusieurs tours et idées qui utilisent des objets de tous les jours. Vous devriez trouver à la maison tout ce dont vous avez besoin pour présenter les numéros.

Vous trouverez dans ce livre des tours qui sont devenus des incontournables, que ce soit pour l'importance de leur méthode dans le milieu de la magie ou leur popularité. J'espère que ces quelques idées vous aideront à élargir votre répertoire et vous permettront de créer vos propres présentations.

Écrire ce livre a été une expérience géniale. J'ai dû prendre du recul et analyser des centaines de tours et de techniques pour m'assurer de rendre votre apprentissage le plus agréable possible. Ce processus m'a permis d'apprécier davantage cet art fascinant.

J'espère simplement que vous aurez autant de plaisir à lire, à apprendre, à pratiquer et à présenter les tours de ce livre que j'en ai eu à les écrire.

Salutations magiques,

Marc Trudel

REMERCIEMENTS

J'aimerais premièrement remercier mes parents, Louise et Claude, qui m'ont toujours encouragé à poursuivre mon rêve de devenir magicien. Merci pour tout.

Un merci tout spécial à Sophie-Anne Vachon qui supporte mes états d'âme tout au long de l'écriture de cette série. Sa vision artistique, ses idées de génie et son opinion informée sur le monde de la magie sont inestimables.

Merci à Stéphane Bourgoin, autant pour la recherche documentaire et technique que pour le café et l'oreille attentive. En plus d'avoir enduré mes constantes remises en question, il est toujours très généreux de son temps et de ses connaissances.

J'aimerais également saluer toute l'équipe d'animateurs et de magiciens avec qui j'ai eu la chance de travailler au Musée Juste Pour Rire de Montréal et qui est à la source de certaines des idées et présentations de ce livre.

Je tiens à remercier l'équipe des Intouchables qui m'a permis de réaliser ma vision de ce livre.

Je lève mon chapeau de magicien à Karine Patry dont les photographies ornent ce livre et sans qui tout cela n'aurait jamais été possible.

Finalement, un merci spécial à vous, les lecteurs. J'espère que ce livre vous incitera à en apprendre plus sur la magie.

COMMENT ABORDER CE LIVRE ?

Afin de faciliter l'apprentissage des tours présentés dans ce livre, chacun d'eux est exposé et expliqué en quatre temps : l'effet, le matériel, la méthode et la présentation. Dans certains cas, une cinquième rubrique, les experts, s'ajoute pour donner des suggestions de présentation ou pour perfectionner le tour déjà décrit. Pour vous aider à profiter au maximum de ce livre, voici une courte description de chacune des rubriques utilisées.

L'EFFET

Cette rubrique donne un aperçu du tour de magie qui vous est suggéré, de la démarche à suivre et de l'effet qu'il devrait produire chez les spectateurs. Afin d'être à l'aise au moment de présenter un truc à votre auditoire, vous devez comprendre quel est le but visé et l'effet attendu.

LE MATÉRIEL

Je dresse ici la liste des objets dont vous aurez besoin pour réaliser le tour en question. Vous devriez pouvoir trouver ces derniers à la maison. Si vous n'avez pas la certitude de pouvoir vous servir d'un de ces objets, demandez conseil à un adulte.

LA MÉTHODE

Sous cette rubrique sont présentées les techniques à utiliser pour réaliser parfaitement le tour proposé. Vous y trouverez une description, étape par étape, du tour à l'étude, de nombreuses photographies et tous les détails qui rendront votre apprentissage plus aisé.

LA PRÉSENTATION

Cette rubrique est sans doute la plus importante. Elle traite de la façon dont vous devez présenter votre tour aux spectateurs pour que ces derniers soient intrigués et fascinés par les exploits que vous vous apprêtez à réaliser. Elle vous donne des idées pour amorcer le dialogue, suggère des points importants à mentionner ou encore propose des thèmes à aborder lors de l'exécution du tour.

LES EXPERTS

Je m'adresse ici aux amateurs qui veulent repousser les limites d'un tour. Vous trouverez ici des variantes, des techniques plus complexes ou encore une manière très spéciale de présenter le tour classique. Vous découvrirez même quelques défis à relever.

Veuillez noter que la plupart des photos qui illustrent ce livre ont été prises selon la vision qu'a le magicien au moment où il exécute un tour. En effet, l'objectif de la caméra a été placé pour saisir sa propre perspective. De cette façon, il vous sera plus facile de comprendre la position occupée par les objets ou la séquence des diverses manipulations.

À certains endroits dans la série, vous trouverez un petit logo qui apparaît en marge de certaines pages. Là où vous verrez cette étoile, vous trouverez des références aux autres tomes de la série Les coulisses de la magie.

Il vous sera ainsi possible de combiner certaines des connaissances acquises dans ce premier tome à celles présentées dans les autres livres, et ce, afin de rendre vos tours encore plus surprenants!

Notez également que les titres des tours de magie sont en rouge et que les noms des techniques sont en italique la première fois qu'elle sont mentionnées dans le texte.

Finalement, rappelez-vous qu'il est essentiel d'avoir du plaisir en pratiquant la magie. Ainsi, vous pourrez trouver de nouvelles idées de présentation et, qui sait, vous en arriverez peut-être à inventer vos propres tours et à devenir un des grands maîtres de cet art extraordinaire!

Veuillez noter que le masculin a été utilisé afin d'alléger le texte. Cela ne veut pas dire qu'il n'y a pas de filles qui font de la magie, bien au contraire!

LES RÈGLES D'OR
DE LA MAGIE

Avant toute chose, voici les trois règles importantes à respecter en magie.

GARDER SON SECRET !

Il est très important de ne pas dévoiler les secrets des tours de magie. Si vous voulez continuer à surprendre vos spectateurs et à les mystifier, il ne faut pas en révéler le fonctionnement. Ainsi, votre présentation demeurera intrigante et fascinante… vraiment magique !

PRATIQUER, PRATIQUER ET PRATIQUER ENCORE !

La présentation d'un spectacle de magie n'est pas une mince affaire. D'abord, il faut se familiariser avec les techniques, répéter de nombreuses fois les différents mouvements, développer les méthodes de travail et concevoir une présentation intéressante. Devant cette tâche colossale, je ne saurais trop vous recommander de pratiquer et de pratiquer encore avant de faire face à votre public. L'apprentissage de la magie s'apparente à celui d'un instrument de musique : plus on s'exerce, plus on a de chances de devenir un virtuose !

NE JAMAIS RÉPÉTER UN TOUR !

Même si votre public est ébahi, vous ne devez jamais reprendre un tour : la magie repose sur l'effet de surprise. Les spectateurs qui insistent pour que vous repreniez un truc une seconde fois cherchent, plus souvent qu'autrement, à comprendre le fonctionnement de vos tours. Proposez-leur plutôt de passer à un autre numéro.

UN PEU DE VOCABULAIRE AVANT DE COMMENCER...

LA MAIN

Paume vers le bas

Paume vers le haut

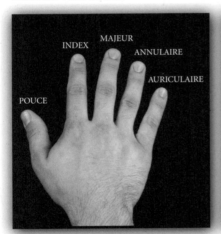

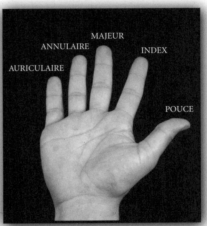

LES TOURS

LA FUSION
DES ÉLASTIQUES

L'EFFET
Le magicien présente deux élastiques. En soufflant sur les élastiques, ils semblent se fusionner l'un à l'autre.

LE MATÉRIEL
Un élastique (assurez-vous que l'élastique n'est pas trop large, afin que l'illusion fonctionne bien).

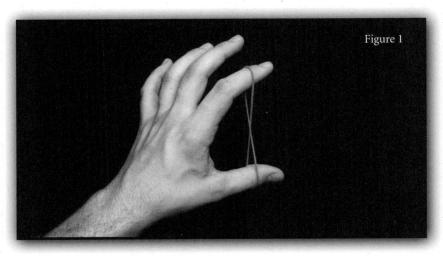

Figure 1

LA MÉTHODE

Ce tour requiert une préparation qui doit être faite avant de présenter les élastiques à vos spectateurs.

Dans votre boîte de magie, votre valise, votre table ou simplement à l'abri des regards indiscrets, vous allez placer l'élastique en position afin de donner l'illusion que vous en tenez deux.

Commencez par placer l'élastique sur l'index de votre main gauche. À l'aide de votre main droite, retournez l'élastique sur lui-même une fois et placez votre pouce dans la partie inférieure. Vous venez donc de former un « 8 » autour de votre index et de votre pouce (figure 1).

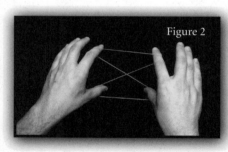

Figure 2

Placez maintenant le pouce de votre main droite dans l'ouverture à côté de votre pouce gauche. Placez également l'index de votre main droite à côté de votre index gauche. En étirant l'élastique, vous devriez être dans la même position que la figure 2.

Vous allez maintenant donner l'illusion que l'élastique que vous tenez entre vos doigts est en réalité deux élastiques.

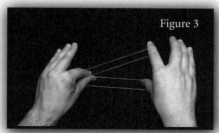

Figure 3

Pour ce faire, vous allez alterner entre deux positions clés. Pour la première position, rapprochez le pouce et l'index de la main gauche (figure 3). De cette façon, vous donnez l'impression que vous tenez véritablement deux élastiques, puisque vous cachez l'intersection. C'est à ce moment que vous pouvez montrer les élastiques à vos spectateurs.

Ensuite, approchez l'index et le pouce de votre main droite (figure 4) et séparez les doigts de la main gauche (figure 5). Vous montrez alors l'élastique séparé des deux côtés !

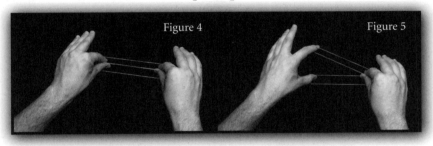

Figure 4   Figure 5

Vous pouvez, en alternant ces deux positions, montrer aux spectateurs que les deux élastiques sont bien séparés. Assurez-vous cependant que vous refermiez bien les doigts d'une main avant d'ouvrir ceux de votre autre main. Si vous ne faites pas attention de bien alterner les positions, vous vous retrouverez dans une position similaire à la figure 2 et l'illusion ne sera plus convaincante.

Pour fusionner les élastiques, vous devrez exécuter une technique assez rapidement en faisant deux actions simultanément. Vous allez enlever vos deux index de l'élastique et étirer l'élastique avec vos pouces vers l'extérieur. Ces deux mouvements vous permettront de donner l'illusion que les deux élastiques se fusionnent instantanément en un seul (figure 6). Vous pouvez également souffler sur l'élastique pour rendre l'action encore plus magique et pour couvrir la méthode.

Pour cette dernière action, il est également possible d'enlever vos deux pouces plutôt que vos deux index. L'élastique terminera donc son parcours sur vos deux index (figure 7). Certaines personnes sont plus à l'aise avec cette méthode. À vous d'essayer et de voir ce qui vous facilite la tâche.

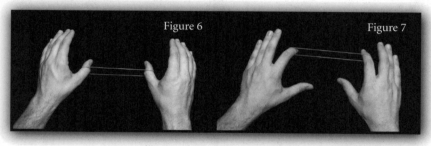

Figure 6   Figure 7

LA PRÉSENTATION

Voilà l'un des rares tours en magie où l'on peut dire que la main est plus rapide que l'œil. Afin que ce tour soit efficace, il faut exécuter la dernière technique avec un certain degré de rapidité. À force de répétitions, vous deviendrez plus rapide.

De plus, ce tour est parfait pour commencer une séquence avec des élastiques, une fois que vous avez fusionné l'élastique. Faites-le examiner par votre public, puis poursuivez avec un des tours utilisant un élastique comme L'élastique qui saute ou encore L'élastique au travers du pouce.

LES EXPERTS

Voici une petite variante au niveau de la préparation initiale qui vous permettra de montrer un peu plus d'aise en allant chercher «les élastiques» dans votre boîte magique. Placez l'élastique en forme de «8» comme sur la figure 1 et repliez-le sur lui-même afin de former deux cercles, un par-dessus l'autre (figure 8).

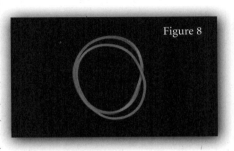

Figure 8

Il ne vous reste plus qu'à agripper un côté des deux cercles (figure 9) et à montrer les élastiques en faisant pivoter votre main (figure 10). Puisque vous tenez l'intersection de l'élastique avec vos doigts, il vous sera possible de faire votre préparation secrète devant les gens, car l'intersection n'est jamais visible.

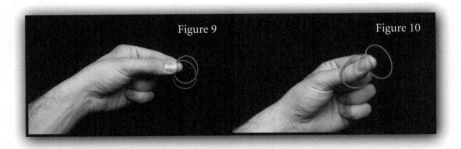

Figure 9

Figure 10

LE CRAYON À TRAVERS LA SERVIETTE

L'EFFET

Le magicien roule un crayon dans une serviette de papier. Il demande au spectateur d'en tenir les extrémités afin que ce dernier s'assure que le crayon est toujours en place. En la déroulant, le magicien fait passer le crayon à travers la serviette.

Figure 1

LE MATÉRIEL

Un crayon et une serviette de table d'environ 20 cm de côté. La serviette doit être unie sur ses deux faces. (Pour les fins de la démonstration, nous avons utilisé une serviette dont les faces étaient différentes, d'un côté elle est blanche et de l'autre un motif est dessiné.)

LA MÉTHODE

Placez la serviette de table à plat sur la table. Disposez le crayon en son centre (45°), de telle sorte que ses extrémités pointent vers deux des coins de la serviette (figure 1).

Agrippez le coin inférieur droit de la serviette et posez-le sur le coin supérieur gauche pour ainsi couvrir le crayon. Même si c'est ce que vous laissez croire à vos spectateurs, vous ne pliez pas vraiment la serviette en deux parties égales. Le coin inférieur droit

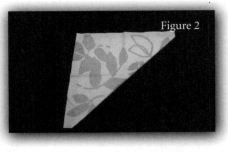

Figure 2

dépassera le coin opposé d'environ 1 à 2 cm (figure 2) : c'est ce décalage qui vous permettra de réaliser le tour.

Enroulez la serviette autour du crayon (figure 3). Poursuivez jusqu'à ce qu'un des deux coins passe sous la serviette : compte tenu du décalage au moment du pliage, un seul coin dépassera (figure 4). Placez ce dernier sur celui qui est toujours sur la table, puis demandez à un spectateur de mettre ses doigts sur la super-position des coins (figure 5).

Au yeux du spectateur, vous avez roulé le crayon dans la serviette et les deux extrémités de cette dernière sont bien maintenues en place. Cependant, le crayon est déjà à l'extérieur de son enveloppe !

Il ne vous reste qu'à dérouler la serviette de table pour montrer que le crayon est passé à travers (figure 6).

LA PRÉSENTATION

Dans ce numéro, vous faites passer un solide à travers un autre. Ce thème pourrait être utilisé pour créer la présentation. Par exemple, vous pourriez expliquer que vous allez reproduire, à moindre échelle, une célèbre illusion, celle de David Copperfield qui, en 1986, a traversé la grande muraille de Chine à l'occasion de sa 8e émission spéciale pour la télévision américaine.

Dans mes présentations, il m'arrive également de mentionner les fantômes qui traversent les murs, personnages de la fameuse série Harry Potter.

SAVIEZ-VOUS QUE...

Le magicien américain David Copperfield est probablement le magicien le plus connu sur la planète. En plus d'avoir présenté des émissions spéciales de magie à la télévision pendant plus de 20 ans, il possède la plus grande collection du monde d'objets reliés à la magie. Regroupant plus de 80 000 items dont 15 000 livres sur la magie, sa collection contient également le premier livre de magie publié en 1584. Il est également le fondateur de «Project Magic». Ce programme qui utilise la magie pour favoriser la réhabilitation de personnes malades est pratiqué dans plus de 1000 hôpitaux répartis à travers 30 pays.

LA PIÈCE
DANS L'OREILLE

L'EFFET
Le magicien prend une pièce de monnaie, la fait disparaître et la fait réapparaître dans l'oreille d'un spectateur.

LE MATÉRIEL
Une pièce de monnaie.

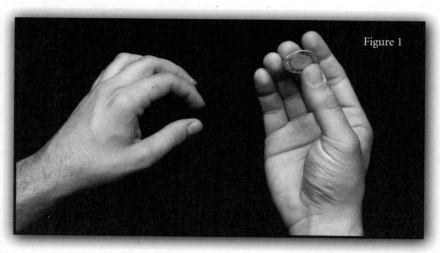

Figure 1

LA MÉTHODE

Voici vos premiers pas dans le monde de la manipulation d'objets. Vous arriverez donc à présenter ce tour en utilisant uniquement vos mains.

Ce tour est séparé en deux parties : celle où la pièce disparaît et celle où la pièce réapparaît derrière l'oreille d'un spectateur.

Pour faire disparaître la pièce, nous utilisons la technique du *tourniquet* que l'on appelle dans la langue de Shakespeare, le « *French Drop* ».

La pièce est tenue entre le pouce et le majeur de la main droite (figure 1). Votre main gauche s'approche afin de donner l'impression qu'elle va prendre la pièce. Le pouce de la main gauche se place derrière la pièce et les doigts de la main gauche se trouvent devant la pièce afin de cacher la prochaine action (figure 2).

Figure 2

Lorsque les doigts cachent la pièce, relâchez légèrement la pression avec votre pouce de la main droite afin que la pièce tombe dans votre main droite (figure 3). Dès que la pièce est tombée dans votre main droite, la main gauche se referme afin de donner l'impression qu'elle vient tout juste de prendre la pièce de monnaie (figure 4).

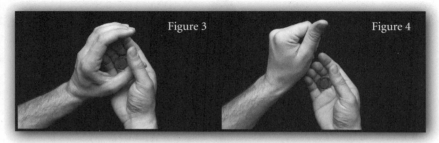

Figure 3   Figure 4

Notez que lorsque la pièce de monnaie tombe, elle atterrit au niveau de l'annulaire droit. Votre main droite se referme légèrement et l'annulaire créé une légère pression sur la pièce afin qu'elle soit emprisonnée dans la main. Les autres doigts restent collés les uns contre les

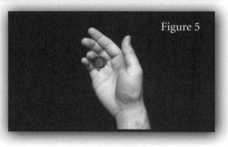

Figure 5

autres afin de ne pas exposer la pièce cachée. On appelle cette position : *l'empalmage des doigts* (figure 5).

Votre main droite se retourne tout en restant naturelle, alors que votre main gauche reste fermée comme si elle contenait la pièce (figure 6). Il ne reste plus qu'à ouvrir votre main gauche pour montrer que la pièce a disparu (figure 7).

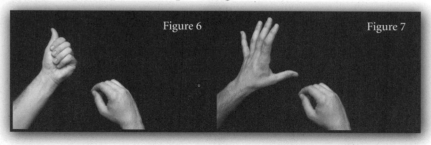

Figure 6   Figure 7

Vous allez maintenant faire apparaître la pièce derrière l'oreille d'un spectateur. N'attendez pas trop, car le réflexe des spectateurs sera de vouloir voir votre autre main.

La pièce se trouve en empal-mage des doigts de la main droite. Il suffit d'approcher la main de l'oreille du spectateur (figure 8). Faites bien attention de ne pas exposer l'intérieur de votre main. Gardez toujours le dos de votre main face aux spectateurs.

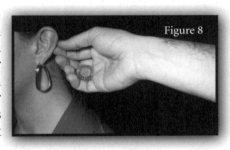

Figure 8

À l'aide de votre pouce, poussez la pièce vers l'avant (figure 9). Une fois que la pièce se trouve sur le bout de vos doigts, faites semblant de l'extraire de l'oreille du spectateur en exerçant un peu de pression avec la pièce contre l'oreille du spectateur (figure 10).

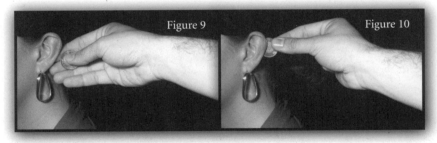

Figure 9

Figure 10

LA PRÉSENTATION

Lorsque vous présentez un tour qui demande de la manipulation, le plus important est de rendre l'action le plus naturelle possible. La meilleure façon de pratiquer est d'exécuter l'action sans tricher. Dans ce cas-ci, exercez-vous à prendre une pièce avec votre main gauche à partir de la position en main droite. Regardez-vous dans un miroir et analysez l'action. Il ne vous reste plus qu'à pratiquer le tourniquet afin que la technique soit identique à l'action de réellement prendre la pièce.

Ce tour est vraiment un grand classique de la magie. Bien des spectateurs me demandent si je suis capable de faire apparaître une pièce dans une oreille. Grâce à cette technique, vous aurez une réponse à cette question !

LES EXPERTS

Une technique comme celle-ci comporte ce que les magiciens appellent des « angles de visibilité ». Cela veut simplement dire que le tour n'est pas impressionnant si les spectateurs voient votre tour d'en arrière par exemple ! Afin de vous assurer que votre tour est efficace, pratiquez devant un miroir et regardez à toutes les étapes de votre exécution ce que les spectateurs peuvent voir. Si vous voyez la pièce lors d'un mouvement secret, c'est que les spectateurs pourront la voir également.

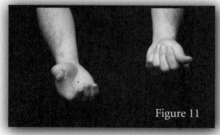

Figure 11

Même avec un empalmage des doigts, il est possible de travailler les angles avec énormément de précision afin que l'intérieur de votre main soit montré le plus possible. La figure 11 montre jusqu'à quel point la main droite peut être montrée ouverte, même si elle contient une pièce en empalmage. Exercez-vous devant un miroir !

SAVIEZ-VOUS QUE...

Harry Blackstone Sr. (1885-1965), né Harry Boughton à Chicago, est un des magicien les plus populaires de son temps. Son nom de magicien, Blackstone, provient d'une marque de cigares populaire à l'époque. Un soir, pendant un de ses spectacles, on vint prévenir Blackstone qu'un feu avait éclaté dans un édifice voisin et que tous les spectateurs devaient évacuer la salle. Pour éviter une panique, Blackstone demanda à son  public de sortir de la salle afin d'aller voir un tour de magie tellement grandiose qu'il ne pouvait être présenté dans la salle de spectacle. Grâce à sa rapidité d'esprit et son ingéniosité, il arriva à évacuer la salle dans le calme et à sauver son public !

LA FUSION
DES FICELLES

L'EFFET

Le magicien présente deux petites ficelles au public. Il demande
à chacun des deux spectateurs de tenir l'extrémité d'une ficelle. Il
place ensuite les extrémités libres dans sa main et demande aux
assistants de tirer délicatement sur l'extrémité qu'ils tiennent. Le
magicien réussit à souder les deux bouts et les spectateurs disposent
maintenant d'une longue ficelle qu'ils peuvent examiner.

Figure 1

LE MATÉRIEL
Un bout de ficelle d'environ 40 cm.

LA MÉTHODE
Ce tour repose sur le fait qu'une ficelle est normalement composée de plusieurs petits fils (figure 1). Nous allons donc séparer ces brins afin de préparer la ficelle pour notre tour.

Figure 2

Prenez la ficelle en son centre et séparez-la en deux parties (figure 2) sur environ 4 à 5 centimètres; tentez d'avoir le même nombre de brins de chaque côté de la séparation.

Ensuite, repliez chaque côté sur lui-même et roulez les brins avec vos doigts afin d'obtenir deux bouts de ficelle (figures 3 et 4).

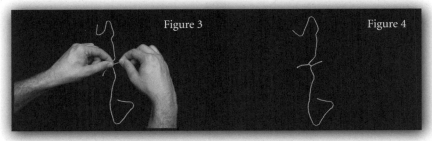

Figure 3

Figure 4

Faites cette opération dans votre coffre de magicien ou derrière une table pour éviter que les spectateurs ne se rendent compte qu'il n'y a pas vraiment deux ficelles.

Les deux bouts bien roulés, vous vous retrouvez avec une ficelle formant un petit « X » en son milieu. C'est à cet endroit que vous tiendrez la ficelle pour donner l'illusion que vous avez bel et bien deux ficelles en main (figures 5 et 6). Avec votre main droite, vous pouvez séparer les deux bouts du bas afin d'illustrer clairement la situation.

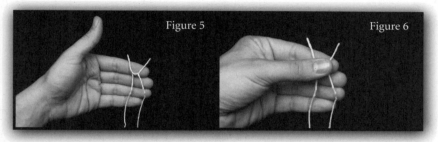

Figure 5   Figure 6

Si vous êtes à l'aise, vous pouvez passer le « X » d'une main à l'autre. Vous devrez cependant faire très attention de ne pas exposer le secret. Par l'aisance que vous démontrerez, vous créerez dans l'esprit des spectateurs la certitude qu'ils sont en présence de deux bouts de ficelle. Encore une fois, prenez garde de ne pas exposer le secret. Si vous n'avez pas assez confiance en votre technique, il est préférable de tout simplement sauter cette étape.

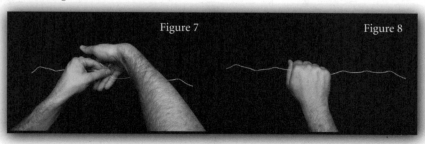

Figure 7   Figure 8

Demandez à deux spectateurs de vous assister dans l'exécution de ce truc, l'un se plaçant à votre droite et l'autre, à votre gauche. Tendez un bout de ficelle (partie longue) à chacun des assistants. Par la suite, placez votre main droite au-dessus de la partie formant un « X » au milieu de la ficelle (figure 7). Déposez-y le « X » et fermez le poing (figure 8).

Demandez aux participants de tirer doucement sur le bout de corde. Au moment où vous sentirez que la ficelle a retrouvé sa forme originale, roulez la partie centrale de la ficelle entre vos doigts (figure 9). Cette action est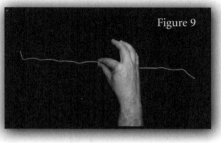

Figure 9

très importante ; elle ramène la ficelle à sa position initiale et ajoute à votre prestation de la magie et du mystère.

LA PRÉSENTATION

Lorsqu'il est présenté dans les règles, ce numéro est très impressionnant. Plus vous serez convaincant en disant aux gens qu'il y a deux ficelles, plus ces derniers vous croiront. Pour ajouter au suspense, mentionnez que vos doigts ont la capacité de souder deux cordes ensemble. Si vous voulez utiliser une autre présentation, vous pourriez parler de l'homme araignée et de sa facilité à tisser des toiles très rapidement.

LES EXPERTS

Afin d'épater un peu plus la galerie, faites semblant de couper la corde dans votre valise. À l'aide d'une paire de ciseaux, donnez un coup dans le vide en simulant la préparation du numéro. Lorsque vous présenterez vos deux bouts de ficelle, les spectateurs seront convaincus que vous venez tout juste de couper la ficelle en deux.

SAVIEZ-VOUS QUE...

Le premier tour de magie au monde a été répertorié sur le papyrus *Westcar*, trouvé dans une pyramide d'Égypte et vieux d'environ 4500 ans. On y mentionne trois magiciens, dont le magicien Dedi qui  pouvait replacer la tête de deux oies et d'un bœuf après les leur avoir arrachées. On a également trouvé dans une tombe située à Beni Hassan, en Égypte (2500 a.v. J. C.), un hiéroglyphe qui illustre ce que nous croyons être le tour *Des gobelets et des balles*.

LA DISPARITION
IMPOSSIBLE

L'EFFET

Le magicien place une pièce de monnaie dans sa main et couvre cette dernière d'un foulard. Il demande par la suite à quelques spectateurs de vérifier sous le foulard si la pièce s'y trouve toujours. Ces derniers confirment qu'elle est toujours là. Puis, le magicien retire le foulard et, à la surprise de tous, la pièce a disparu. Le magicien montre sa main vide et sort la pièce de monnaie de sa poche.

LE MATÉRIEL

Deux pièces de monnaie identiques, un foulard et… un complice !

LA MÉTHODE

Commencez par placer une des deux pièces dans une de vos poches. L'autre pièce et le foulard sont à la vue des spectateurs.

Pour certains trucs, les magiciens ont recours à un assistant secret ou à un complice. Vous devrez demander l'aide d'un de vos amis pour réaliser ce tour. Convenez à l'avance avec lui que, lorsque vous lui demanderez si la pièce se trouve sous le foulard, il devra répondre « oui », s'en emparer et la dissimuler dans sa main.

Pour présenter ce tour, placez une pièce dans votre main et couvrez-la d'un foulard. Demandez à un spectateur de vérifier si la pièce est toujours sous le foulard. Il répondra « oui ». Faites la même chose avec un deuxième spectateur. Le troisième spectateur sera votre complice. Il répondra « oui » à votre question et prendra la pièce de monnaie qu'il dissimulera dans sa main. Enlevez le foulard et tous constateront que la pièce a disparu. Montrez votre main vide, puis sortez la seconde pièce de votre poche.

LA PRÉSENTATION
Mettez l'accent sur l'impossibilité de réussir ce tour. Si les gens ne suspectent aucunement votre complice, l'effet obtenu sera vraiment incroyable.

LES EXPERTS
Vous pouvez faire ce tour avec un autre objet qu'une pièce de monnaie. Il y a beaucoup de possibilités. Laissez aller votre imagination !

SAVIEZ-VOUS QUE...
Il est très important de pratiquer les tours avant de les présenter. Pour vous aider avec la pratique, répétez devant un miroir. De cette façon, vous pourrez voir ce que les spectateurs verraient vraiment. Vous pourriez même vous faire filmer lors d'une performance afin de voir le résultat et ainsi améliorer certains de vos numéros.

LE NŒUD
REBELLE

L'EFFET
Le magicien fait un nœud dans une corde. Il arrive à enlever le nœud avec sa main et à le lancer dans les airs.

LE MATÉRIEL
Une corde et des ciseaux.

Figure 1

LA MÉTHODE

Premièrement, vous devez apprendre la méthode pour faire un *faux nœud* dans une corde. Tenez la corde entre vos deux mains (figure 1). Repliez la corde sur elle-même afin de créer une boucle. Pincez l'intersection de la boucle avec le pouce, l'index et le majeur de votre main gauche (figure 2).

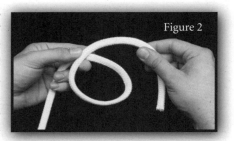

Figure 2

Prenez l'extrémité de la corde avec votre main droite et faites-la passer à l'intérieur de la boucle que vous venez de créer (figure 3). Votre main droite lâche l'extrémité pour la reprendre de l'autre côté de la boucle (figure 4).

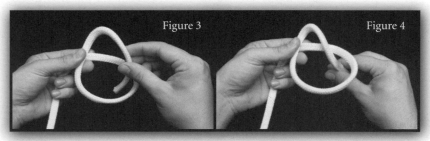

Figure 3

Figure 4

Vous allez maintenant exécuter deux actions simultanément. Votre main droite tire sur la corde vers la droite. Au même moment, l'index de votre main gauche pousse la corde à côté de l'intersection à l'intérieur de la boucle (figure 5). Tirez sur la corde jusqu'à ce qu'il y ait de la tension autour de votre index gauche (figure 6).

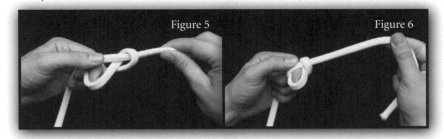

Figure 5   Figure 6

Tout en s'assurant que la corde reste dans la même position, retirez votre index (figure 7). Par la suite, pincez le côté droit du nœud avec le pouce et l'index de votre main gauche (figure 8).

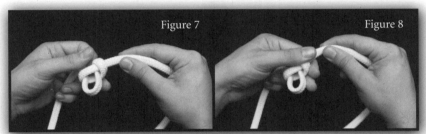

Figure 7   Figure 8

Tout en pinçant avec vos doigts, tirez sur la corde avec votre main droite afin de resserrer le nœud (figure 9). Une fois que le nœud est assez serré, vous pouvez le tenir avec les doigts de votre main droite pour en réduire la grosseur. Il suffit de tirer sur la corde à gauche du nœud avec votre main gauche(figure 10). Faites attention de ne pas trop tirer, sinon vous allez simplement défaire le faux nœud.

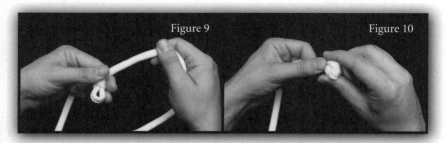

Il ne vous reste plus qu'à montrer le nœud à vos spectateurs en tenant les extrémités de la corde avec vos deux mains (figure 11). Afin de défaire le nœud, il suffit de tirer de chaque côté de la corde et le nœud disparaît (figure 12) !

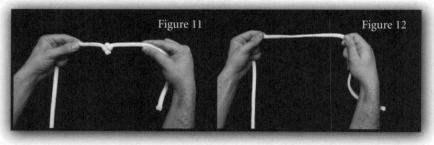

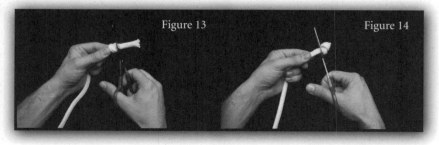

Voici maintenant comment transformer ce simple faux nœud en une routine intéressante pour vos spectateurs. Faites un vrai nœud dans un bout de la corde puis, à l'aide d'une paire de ciseaux, coupez de chaque côté du nœud (figures 13 et 14).

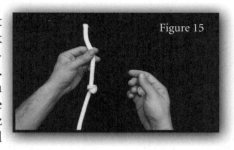

Figure 15

Prenez le petit nœud que vous venez d'obtenir et cachez-le en empalmage des doigts de la main droite (voir la description dans le tour La pièce dans l'oreille). Tout en gardant le nœud caché en empalmage, exécutez un faux nœud sur la corde avec la méthode décrite précédemment. Tenez la corde avec le nœud en main gauche et le petit nœud en main droite (figure 15). Pincez le nœud sur la corde avec la main droite afin de dénouer le faux nœud (figure 16).

Une fois que le faux nœud a disparu, il ne vous reste plus qu'à lancer dans les airs le petit nœud qui était caché dans votre main (figure 17).

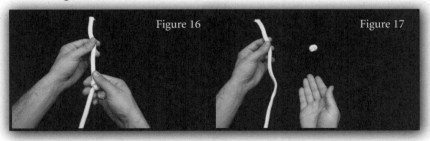

Figure 16   Figure 17

LA PRÉSENTATION

Lorsque vous présentez ce tour, il est important de s'assurer que les spectateurs ne voient pas le nœud qui est caché dans votre main droite. Je vous suggère de relire la description détaillée de l'empalmage des doigts, telle qu'expliquée dans le tour La pièce dans l'oreille.

LES EXPERTS

Plus loin dans ce livre, vous trouverez la routine La grande transposition, qui utilise la technique du faux nœud. C'est une routine assez difficile à exécuter que vous aurez certainement beaucoup de plaisir à présenter.

SAVIEZ-VOUS QUE...

Le grand magicien Harry Houdini (1874-1926) a inventé un type de magie très spécial : l'évasion. Il a été le premier à s'évader de camisoles de force, de menottes, de chaînes, d'un coffre-fort et même d'une prison ! Il a également présenté de grandes illusions. Il faisait même disparaître un éléphant vivant sur scène.

L'ALLUMETTE INDESTRUCTIBLE

L'EFFET

Le magicien présente un foulard à son public et demande à un spectateur de lui donner une allumette en bois. Le foulard est rabattu par-dessus l'allumette. Le magicien demande au spectateur d'agripper l'allumette au travers du foulard et de briser cette dernière en deux parties. À la grande surprise de tous, lorsque le foulard est déplié, l'allumette est intacte !

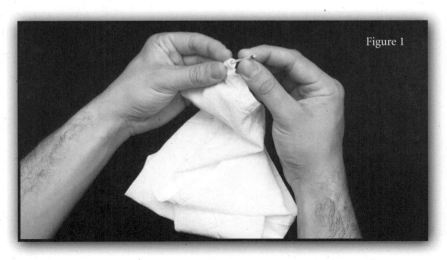

Figure 1

LE MATÉRIEL

Deux allumettes en bois et un foulard avec un petit rebord. Si vous n'arrivez pas à trouver un foulard muni d'un rebord, vous pouvez demander à un adulte de vous aider à en coudre un. Vous aurez donc un foulard truqué unique !

LA MÉTHODE

Commencez par glisser une allumette dans le rebord du foulard (figure 1). Glissez-la afin qu'elle soit à environ 1 cm du côté (figure 2).

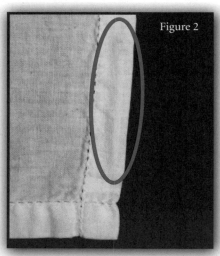

Figure 2

Tenez le foulard par les deux coins supérieurs. Assurez-vous que votre main droite est en contrôle de l'allumette cachée. Demandez au spectateur de vous donner une allumette et prenez-la également avec votre main droite (figure 3).

Vous allez maintenant recouvrir l'allumette ainsi que le coin qui contient l'allumette cachée avec le reste du foulard (figure 4).

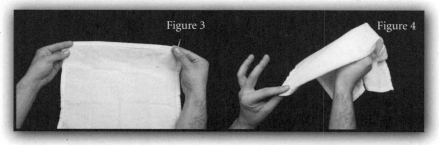

Figure 3

Figure 4

Lorsque votre main droite est couverte par le foulard, laissez tomber l'allumette que vous a donnée le spectateur dans votre main droite. De cette façon, vous conservez uniquement l'allumette contenue dans le rebord sur le bout de vos doigts. La figure 5 montre ce qui se passe sous le foulard, bien qu'en réalité le foulard recouvre complètement votre main. Votre main gauche peut agripper l'allumette dis-

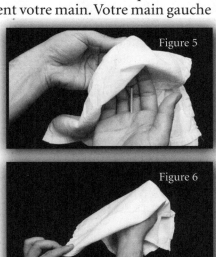

Figure 5

simulée dans le rebord afin d'aider votre main droite à cacher l'allumette libre. Demandez au spectateur de prendre l'allumette au travers du foulard et de la casser. Puisque la vraie allumette est cachée dans le creux de votre main droite, le specta-teur cassera l'allumette qui est dans le rebord. Avec votre main gauche, agrippez ensuite un coin du foulard (figure 6).

Figure 6

Vous allez maintenant exécuter deux mouvements simulta-nément. Il vous faut tirer avec votre main gauche sur le foulard pour dévoiler votre main droite. En même temps, assurez-vous de pousser sur l'allumette avec les doigts de la main droite afin qu'elle se

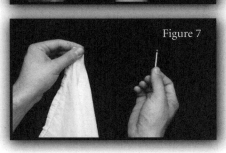

Figure 7

retrouve sur le bout de vos doigts (figure 7). Personne ne verra la deuxième allumette qui est restée cachée dans le foulard.

LA PRÉSENTATION

Afin de convaincre vos spectateurs qu'il n'y a qu'une allumette et qu'il n'y a pas de trucage, vous pourriez avoir un deuxième foulard identique dans votre boîte de magie. Lorsque le tour est terminé, déposez le foulard qui contient l'allumette cassée et, après quelques instants, ressortez le deuxième foulard et déposez-le sur la table. Les spectateurs qui sont très curieux pourront donc l'examiner sans vous démasquer.

SAVIEZ-VOUS QUE...

Le magicien Chung Ling Soo (1861-1918) était en fait un Américain du nom de William Ellsworth Cambel Robinson, né à Brooklyn aux États-Unis. Il décida de jouer le rôle d'un magicien chinois allant jusqu'à engager un interprète chinois lors de ses interviews (pour traduire du faux chinois!). Il présentait un spectacle de style oriental. Un de ses tours populaires était *La cible vivante* («*The Bullet Catch*»), tour au còurs duquel il attrapait avec ses dents une balle de fusil tirée sur lui.

Après seize année à présenter *La cible vivante*, il fut tué par ce tour un soir de spectacle. Une douzaine d'autres magiciens ont d'ailleurs été tués par ce tour.

LA CORDE
À TRAVERS LE COU

L'EFFET

Le magicien se présente et les spectateurs voient une corde pendre à son cou. Il tire sur les deux bouts de la corde et celle-ci semble passer à travers son cou.

LE MATÉRIEL

Une corde et un chandail avec un collet.

LA MÉTHODE

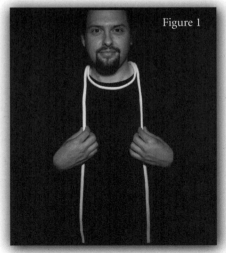

Figure 1

La méthode est très simple. Il suffit de bien préparer la corde et le tour est joué. Placez la corde sous la partie de votre collet qui se trouve à l'avant de votre cou. Positionnez vos mains sur la corde à une distance d'environ 60 centimètres de son centre, faites glisser cette dernière sous le collet jusqu'à ce qu'elle atteigne l'arrière de votre cou et laissez pendre les extrémités sur votre poitrine. Les figures 1 et 2 montrent la corde à l'extérieur de votre chandail afin que vous puissiez bien comprendre comment la disposer.

La figure 3 illustre ce que les spectateurs verront une fois le travail terminé. La figure 4 montre la position de la corde à l'arrière de votre collet après la préparation secrète.

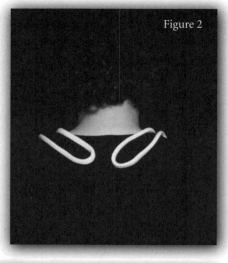

Figure 2

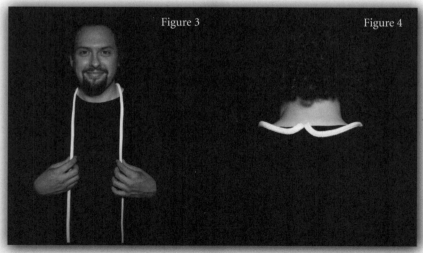

Figure 3

Figure 4

Une fois la corde bien en place, vous n'aurez qu'à tirer sur ses extrémités dans un mouvement rapide vers l'avant et les spectateurs auront l'impression qu'elle a traversé votre cou (figure 5).

Figure 5

LA PRÉSENTATION

Ce tour peut être vraiment surprenant si vous agissez de manière à ce que les spectateurs n'accordent pas trop d'importance à la corde qui vous pend autour du cou. En tirant sur les extrémités de la corde au moment opportun, vous produirez sans doute un effet de surprise chez les spectateurs.

LES EXPERTS

Utilisez ce tour en ouverture d'une séquence où vous utiliserez une corde. De cette façon, vous bâtirez une petite routine que vous pourrez présenter à vos amis.

SAVIEZ-VOUS QUE...

La formule magique Abracadabra (en fait Habracadabrah) vient de l'hébreu et voudrait dire : « que cela se passe comme c'est dit ». Les formules magiques permettent de diriger l'attention des spectateurs et d'annoncer à quel moment précis se passe l'effet magique. Vous pouvez inventer votre propre formule magique pour vos spectacles.

LES ÉPINGLES MAGIQUES

L'EFFET
Le magicien présente deux épingles à couche fermées. Il claque des doigts, lance les épingles sur la table et instantanément ces dernières s'ouvrent. Le tout peut même faire l'objet d'un examen de la part des spectateurs !

LE MATÉRIEL
Deux épingles à couche.

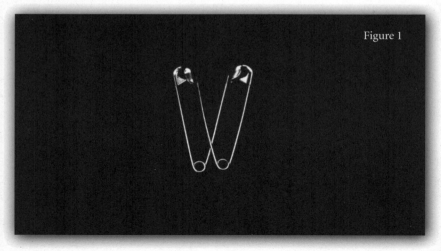
Figure 1

LA MÉTHODE

Tout est dans la préparation. Il suffit d'ouvrir préalablement les deux épingles et de les placer de telle sorte que la branche ouverte de la première soit vers la gauche et celle de la seconde vers la droite. En plaçant les épingles une par-dessus l'autre, il est possible d'aligner les branches ouvertes de façon à donner l'impression que les deux épingles sont fermées (figure 1).

Tenez entre vos doigts la base des deux épingles ; il sera alors impossible de voir si les épingles sont ouvertes ou fermées (figure 2).

Claquez les doigts et laissez tomber les épingles sur la table (figure 3). Magiquement, les deux épingles s'ouvrent.

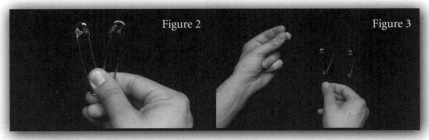

Figure 2

Figure 3

LA PRÉSENTATION

Expliquez que vous vous pratiquez à ouvrir des serrures comme le faisait le grand Houdini. Ajoutez que vous n'en êtes qu'à vos débuts dans le métier et que, pour l'instant, vous devez vous limiter à de petits mécanismes comme ceux des épingles. Vous pourrez aussi dire que ce tour est votre interprétation du fameux tour des anneaux chinois où les magiciens attachent et séparent des anneaux en métal.

LES EXPERTS

Pratiquez ce truc le plus souvent possible afin de pouvoir exécuter la préparation très rapidement. Vous serez donc prêt en quelques secondes à présenter le tour.

ATTENTION : Bien que ce tour ne soit pas trop difficile à exécuter, il exige la manipulation de deux épingles dont le bout est très piquant. Faites bien attention !

SAVIEZ-VOUS QUE...

Harry Kellar (1849-1922), de son vrai nom Heinrich Keller, présentait des spectacles à grand déploiement. Son numéro le plus célèbre était celui de la *lévitation*, numéro qu'il a volé au célèbre magicien anglais John Nevil Maskelyne. Kellar voulut d'abord acheter le tour à Maskelyne. Ce dernier refusa, malgré la fortune qui lui fut offerte. Kellar décida donc de monter sur scène durant une représentation pour voir comment le tour fonctionnait et il développa sa propre version par la suite !
Il semble que c'est Kellar qui aurait inspiré le personnage du magicien dans *Le Magicien d'Oz*.

ENLEVER SON POUCE

L'EFFET
Le magicien donne l'illusion à ses spectateurs qu'il peut enlever et remettre en place la moitié de son pouce.

LE MATÉRIEL
Deux mains !

Figure 1

LA MÉTHODE

Pour produire l'effet désiré, ce tour demande un peu de pratique.

Placez votre main droite à l'horizontale, le dos de la main vers le public. La main gauche s'approche de la droite. À ce moment, trois actions vont se dérouler presque simultanément (figure 1).

1. Le pouce de la main gauche se replie et l'index de cette même main vient couvrir le pouce au niveau de la première jointure. Les autres doigts de la main gauche restent ouverts, afin que l'on puisse bien voir l'index et le pouce.

2. Le pouce de la main droite se replie le plus possible vers l'intérieur de la main.

3. L'index et le pouce de la main gauche viennent se positionner directement au niveau de la jointure du pouce droit.

Figure 2

À ce moment, les spectateurs devraient simplement voir votre pouce et votre index de la main gauche (figure 2). Cependant, vous êtes prêt à présenter votre tour.

Déplacez votre main gauche vers la gauche (figure 3) et les spectateurs verront la moitié de votre pouce se déplacer (figure 4).

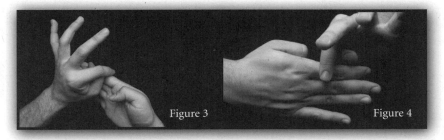

Figure 3   Figure 4

Ramenez votre main gauche à sa position initiale. Il ne vous reste plus qu'à sortir de cette position. Pour y arriver, trois actions vont une fois de plus se produire en même temps.

Figure 5

1. Votre main droite s'ouvre et pivote paume vers les spectateurs.

2. Votre main gauche s'ouvre et pivote paume vers vous.

3. Les doigts de votre main gauche attrapent le pouce de votre main droite et le massent comme si vous veniez de le visser en place (figure 5). Voilà !

LA PRÉSENTATION

Il est très important de pratiquer ce tour devant un miroir avant de le présenter. C'est la seule façon de savoir si vous placez vos mains dans la bonne position.

Les spectateurs disent souvent que la main est plus vite que l'œil. Expliquez-leur qu'elle n'est pas nécessairement rapide… mais plutôt spéciale. Présentez votre tour et constatez les réactions !

LES EXPERTS

Si votre pouce est assez petit, vous pouvez transposer cette technique pour séparer votre index ou même votre majeur. Il suffit de placer votre pouce gauche dans la même position et de replier votre index ou votre majeur droit, au lieu de votre pouce droit. Pour exécuter le reste du tour, vous n'avez qu'à procéder comme décrit plus haut. Malheureusement, je ne peux présenter le tour de cette façon car l'extrémité de mon pouce est beaucoup plus grosse que celle de mon index. À vous de juger !

SAVIEZ-VOUS QUE...

En plus des livres sur la magie, des centaines de vidéos explicatifs et de tours sont disponibles. Si vous voulez agrandir votre répertoire magique, vous pouvez consulter Internet ou l'annuaire téléphonique, afin de trouver le magasin de magie le plus près de chez vous. Dans la section secrète de mon site (voir les coordonnées à la fin du livre), je vous donnerai aussi quelques adresses intéressantes.

L'ÉLASTIQUE
QUI SAUTE

L'EFFET

Le magicien place un élastique autour de l'index et du majeur de sa main droite. Lorsqu'il claque des doigts, l'élastique saute sur son annulaire et son auriculaire. Il réussit même à refaire le tour après avoir emprisonné le premier élastique avec un second !

LE MATÉRIEL

Deux élastiques, assez petits pour bien entourer les doigts et ayant une tension assez souple afin de pouvoir être étirés facilement.

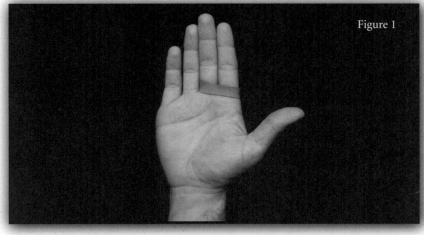

Figure 1

LA MÉTHODE

Placez un élastique autour de votre index et de votre majeur (figure 1) ; le dos de votre main doit toujours faire face au public qui ne pourra voir votre préparation secrète. À l'aide de votre main gauche, tendez la bande élastique afin de créer une ouverture (figure 2).

Figure 2

Tout en maintenant la tension sur la bande avec votre main gauche, placez tous les doigts (sauf le pouce) de la main droite dans l'ouverture créée (figure 3).

Relâchez la bande sur les premières jointures de votre main droite et retirez votre main gauche, qui n'est plus nécessaire (figure 4). Les spectateurs ne doivent pas voir cette préparation. Si vous gardez le dos de votre main vers eux et exécutez les mouvements sans hésitation, il n'y aura aucun problème. Alors, pratiquez !

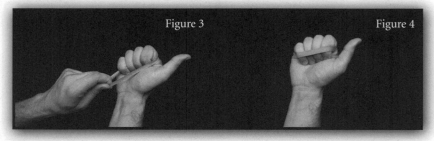

Figure 3

Figure 4

En vous assurant de bien serrer les doigts ensemble, ouvrez votre main d'un geste rapide ; l'élastique se trouvera autour de votre annulaire et de votre auriculaire.

Les figures 5 et 6 montrent ce qui se passe aux yeux des spectateurs. L'élastique se trouve d'abord autour de votre index et de votre majeur (figure 5) et, en ouvrant la main rapidement, il change de place (figure 6).

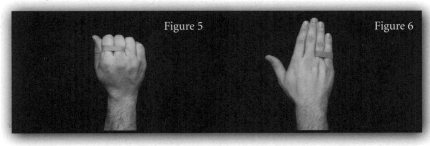

Figure 5   Figure 6

UNE VARIANTE

Il est possible de refaire ce tour en utilisant une seconde bande élastique qui donnera l'impression d'emprisonner la première.

Préparez la première bande selon les indications données précédemment. Puis, placez une bande élastique assez grande autour des doigts de votre main droite à la hauteur des jointures supérieures en prenant soin de croiser l'élastique entre chaque doigt (figure 7).

Exécutez les mêmes mouvements que dans la première version. Avant que vous ouvriez la main, la position des élastiques devrait ressembler à ce qui est illustré ci-dessous (figure 8).

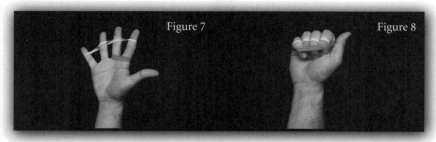

Figure 7   Figure 8

Les spectateurs n'aperçoivent que le premier élastique et, bien sûr, ne voient pas la préparation secrète (figure 9). Lorsque vous ouvrez votre main, le premier élastique saute vers votre annulaire et votre auriculaire, et ce, malgré le fait qu'un second élastique ait été ajouté (la figure 10 montre ce que voient les spectateurs). En réalité, le second élastique n'interfère aucunement dans le déplacement du premier élastique, car ce dernier passe autour des doigts.

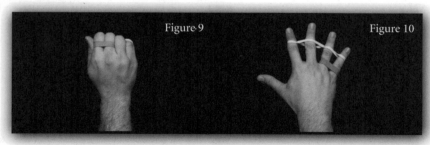

Figure 9   Figure 10

LA PRÉSENTATION

Il importe de bien dissimuler votre préparation. Si vos mouvements sont rapides et effectués avec aisance, les spectateurs n'y verront que du feu. Pratiquez souvent l'exécution du mouvement. De cette façon, vous serez détendu et pourrez parler à vos spectateurs pendant que vous exécutez la séquence.

LES EXPERTS

Ce tour offre une multitude de possibilités aux experts. Tout d'abord, notons qu'il est possible de le réaliser en sens inverse, soit de faire passer l'élastique de l'annulaire et de l'auriculaire jusqu'à l'index et au majeur. Il suffit d'utiliser la même technique, mais en sens inverse. La figure 11 montre le début de la séquence. Il ne s'agit que de reprendre les mouvements expliqués précédemment !

Avec beaucoup de pratique et de temps, il est possible de réaliser cette manipulation d'une seule main ; pour ce faire, il faut placer l'élastique dans la bonne position à l'aide de votre pouce. Voilà un vrai défi pour les experts !

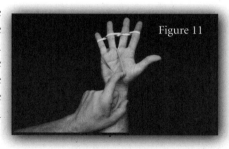

Figure 11

Voici maintenant une dernière idée pour les experts : plutôt que de présenter le tour de L'élastique qui saute, il est possible de présenter celui des Élastiques qui changent de place. Placez un élastique de couleur sur votre index et votre majeur et un autre de couleur différente sur votre annulaire et votre auriculaire (figure 12). En exécutant la technique déjà apprise, vous donnerez l'impression que les élastiques ont changé de place (figure 13).

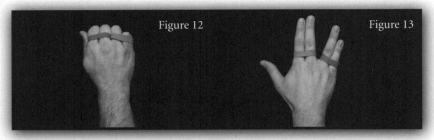

Figure 12

Figure 13

Pour réaliser cette manipulation, vous aurez besoin de longues heures de pratique et de beaucoup de patience. Il existe également de nombreuses autres possibilités. Amusez-vous en tentant de les découvrir !

SAVIEZ-VOUS QUE...

Une routine est un enchaînement logique de plusieurs tours de magie. Par exemple, la disparition d'une pièce de monnaie suivie par une apparition de la pièce avec, comme conclusion, une transformation de ladite pièce. Une routine peut aussi être constituée d'une série de variantes du même tour où chaque étape de la présentation est de plus en plus impressionnante.

LE COUTEAU À TRAVERS LE FOULARD

L'EFFET
Le magicien plante un couteau en plein centre d'un foulard. Il transperce le foulard avec le couteau, puis le retire du centre du foulard. Lorsque ce dernier est déplié, on découvre qu'il est intact.

LE MATÉRIEL
Un couteau et un foulard (on peut également utiliser une serviette de table).

Figure 1

LA MÉTHODE

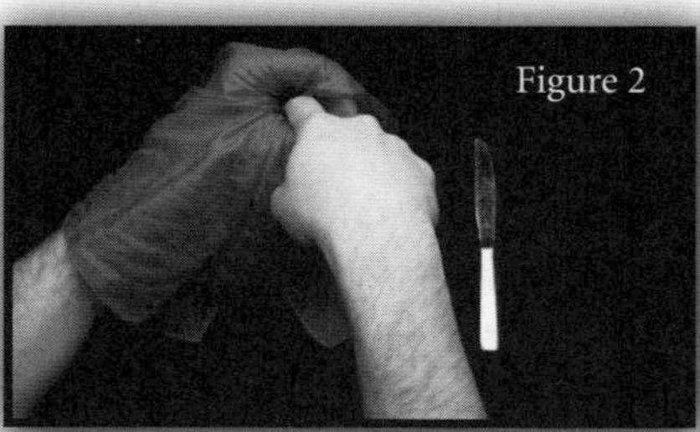

Placez le foulard sur votre poing gauche (figure 1). À l'aide de l'index de votre main droite, faites une cavité dans le foulard (figure 2).

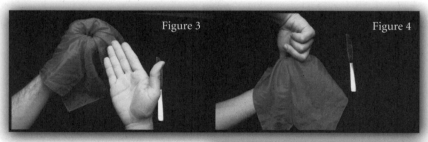

Figure 2

Demandez à un spectateur de placer son doigt dans le trou pour vérifier que le foulard est bien solide (figure 3). Après que le spectateur ait vérifié, placez votre doigt dans le foulard une dernière fois pour prouver que le foulard est bien solide. Cependant, c'est à ce moment que vous allez exécuter la technique secrète. Insérez votre index dans le foulard assez profondément afin que les autres doigts de votre main soient près du foulard (figure 4).

Figure 3

Figure 4

Dépliez votre majeur afin qu'il soit dans la même position que votre index, mais à l'extérieur du foulard (figure 5).

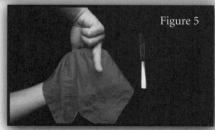

Figure 5

Votre majeur crée ainsi un tunnel dans le foulard juste à côté du trou qui a été formé par l'index. Une fois que votre majeur est entré complètement dans le foulard, les doigts de votre main gauche aident à tenir le foulard dans cette position (figure 6). Enlevez maintenant votre index du trou. Au même moment, votre majeur doit se recourber pour revenir dans la même position que les autres·doigts (figure 7).

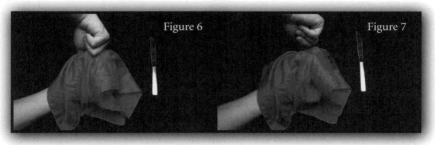

Figure 6
Figure 7

Vous aurez donc formé deux tunnels dans le foulard et celui de droite traverse complètement le foulard (figure 8). Vous pouvez maintenant insérer un couteau dans le tunnel de droite (figure 9).

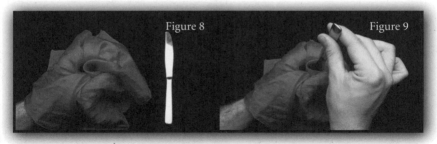

Figure 8
Figure 9

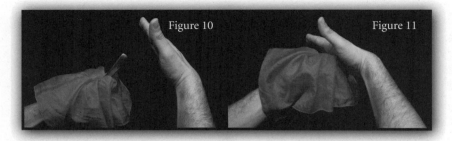

Figure 10   Figure 11

Une fois que vous vous êtes assuré que le couteau est dans la bonne position, placez votre paume ouverte au-dessus du couteau (figure 10). Puis, d'un seul coup, poussez sur le couteau avec votre main droite (figure 11).

Retirez ensuite le couteau (figure 12) et agrippez un coin du foulard à l'aide de votre main droite (figure 13).

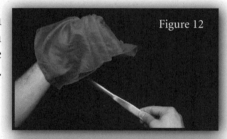

Figure 12

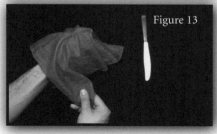

Figure 13

Il ne vous reste plus qu'à ouvrir votre main gauche rapidement, ce qui forcera le foulard à s'ouvrir sur votre main et exposera à vos spectateurs un tissu intact (figure 14) !

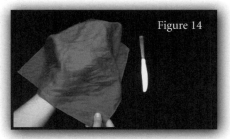

Figure 14

LA PRÉSENTATION

Notez qu'une autre méthode pour présenter ce tour a été expliquée au début de ce livre sous le titre Le crayon à travers la serviette. Cette autre version est également très impression-nante. Cependant, cette version-ci a l'avantage de pouvoir se présenter sans avoir à utiliser une table.

LES EXPERTS

Ce tour est connu des magiciens depuis des centaines d'années. À l'époque, certains magiciens le présentaient en faisant passer un couteau au travers d'un chapeau en feutre. Ce type de chapeau était confectionné dans un tissu assez souple pour que la méthode puisse fonctionner. À vous de trouvez d'autres objets qui ont les mêmes caractéristiques et avec lesquels vous pourriez présenter ce tour.

LE BALLON QUI CHANGE DE COULEUR

L'EFFET
Le magicien présente un ballon à ses spectateurs. Il donne un coup de baguette magique sur le ballon et, soudainement, le ballon change de couleur !

LE MATÉRIEL
Deux ballons opaques de couleurs différentes, une baguette magique, une aiguille et du ruban adhésif. (La figure 1 montre le matériel qui sera utilisé pour la présentation de ce tour.)

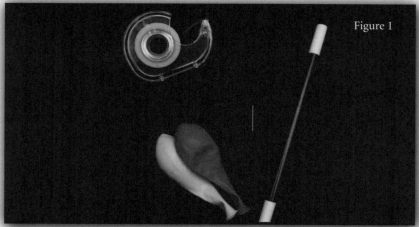

Figure 1

LA MÉTHODE

Commencez par préparer la baguette magique qui permettra de transformer le ballon. Avec du ruban adhésif, collez l'aiguille pour que le bout pointu dépasse de l'extrémité de la baguette d'environ 2 à 3 millimètres (figure 2).

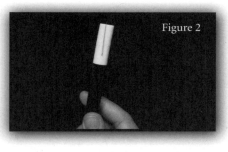

Figure 2

ATTENTION : Soyez très prudent de ne pas vous piquer avec l'extrémité de l'aiguille !

Nous voilà maintenant rendus à la préparation des ballons. Vous devez délicatement glisser un ballon à l'intérieur de l'autre (figure 3). Secouez les deux ballons afin que le ballon intérieur reprenne sa forme (figure 4).

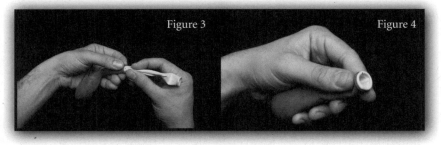

Figure 3

Figure 4

Soufflez le ballon intérieur tranquillement. Il ne faut pas aller trop vite sinon le ballon extérieur pourrait exploser. Lorsque vous soufflez les ballons, fermez vos yeux. De cette façon, si par malchance un ballon explose, vous ne recevrez pas d'éclat dans vos yeux. Il est important de gonfler le ballon suffisamment pour qu'il soit visible, mais de ne pas trop le tendre, ce qui pourrait le faire exploser (figure 5).

Une fois que le premier ballon est soufflé, faites un nœud afin que l'air ne puisse s'échapper (figure 6).

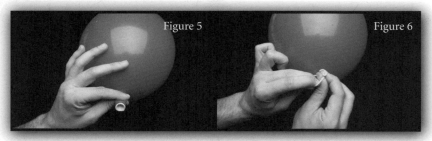

Figure 5   Figure 6

Vous allez maintenant gonfler légèrement le ballon extérieur. Il ne faut pas trop le gonfler pour que les spectateurs remarquent une différence de grosseur entre les deux ballons, mais il faut tout de même créer un espace entre ceux-ci.

Une fois le deuxième ballon soufflé, faites un autre nœud afin de bien le fermer (figure 7).

Tenez le ballon double avec votre main gauche. Avec votre main droite, prenez la baguette magique et approchez-la jusqu'à ce que l'aiguille entre en contact avec le premier ballon (figure 8).

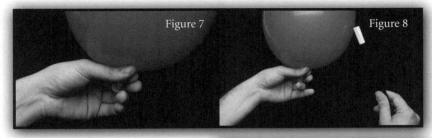

Figure 7

Figure 8

Figure 9

Le ballon extérieur va exploser et révéler le ballon intérieur ce qui donne l'impression que le ballon a changé de couleur (figure 9)!

LA PRÉSENTATION

Faites attention de ne pas donner un trop gros coup avec votre baguette magique sinon les deux ballons pourraient exploser en même temps!

SAVIEZ-VOUS QUE...

Le détournement d'attention est souvent utilisé par les magiciens. Contrairement à la croyance, détourner l'attention ne se résume pas à pointer dans les airs en disant: «Regardez! Une envolée de castors!» La règle de base du détournement d'attention est que, si vous regardez à un endroit précis, les spectateurs regarderont à cet endroit également. Voilà une bonne technique qui pourra vous aider dans vos présentations.

LA CORDE
À TRAVERS LE DOIGT

L'EFFET
Le magicien montre qu'une corde entoure son majeur. Il tire dessus pour montrer qu'elle est bien solide. Sans aucun effort, il arrive à faire passer la corde à travers son doigt.

LE MATÉRIEL
Une corde.

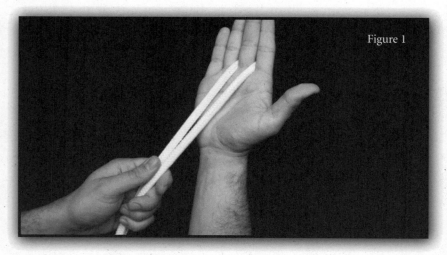

Figure 1

LA MÉTHODE

Placez la corde autour du majeur de votre main droite (figure 1).

De tous les côtés, montrez aux spectateurs que la corde est bel et bien autour de votre doigt. C'est à ce moment que vous allez exécuter la technique qui vous permettra de réussir cette manipulation.

Retournez votre main pour que son dos soit vers les spectateurs. Ainsi, les gens peuvent voir que la corde passe autour de votre doigt (figure 2).

Pendant que vous montrez l'extérieur de votre main, fermez votre poing afin que l'extrémité de votre majeur passe à l'intérieur de la corde (figure 3). Cette action est invisible pour les spectateurs.

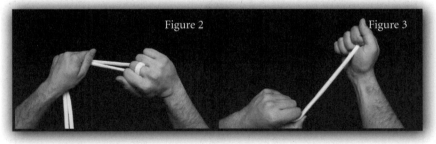

Figure 2   Figure 3

Le poing toujours fermé, retournez votre main, paume vers le haut. Les spectateurs verront que la corde est toujours autour de votre doigt (figure 4), même si ce n'est plus le cas. Il ne vous reste plus qu'à tirer sur la corde et le tour est joué (figure 5).

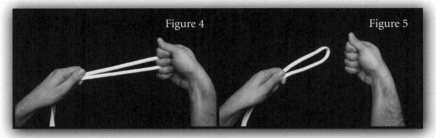

Figure 4   Figure 5

LA PRÉSENTATION

Combinez cette manipulation avec un autre numéro utilisant une corde afin de créer un enchaînement.

LES EXPERTS

Présentez ce tour à l'aide d'un élastique ; la technique est identique. Vous pourrez le faire suivre d'un autre numéro utilisant des élastiques.

SAVIEZ-VOUS QUE...

Jean-Eugène Robert-Houdin (1805-1871) est considéré comme le père de la magie moderne. Il a été le premier à présenter des spectacles dans une salle ayant pignon sur rue, avec un costume traditionnel. Fils d'horloger, il utilisait autant la science que la manipulation dans ses spectacles. Il est également le créateur de plusieurs automates, de petits robots dont le fonctionnement reste encore une merveille de nos jours.

L'APPARITION
IMPOSSIBLE

L'EFFET
Le magicien arrive à faire apparaître un œuf dans un sac, après que le sac ait été inspecté par plusieurs spectateurs.

LE MATÉRIEL
Un sac, un œuf et un complice !

LA MÉTHODE
Ce tour est l'inverse de La disparition impossible, tour expliqué précédemment dans ce livre.

Demandez à un ami s'il veut bien vous aider. Confiez-lui un œuf qu'il doit cacher dans sa main. Empruntez un sac à main ou un sac qui est relativement grand et où il ne sera pas facile de voir qu'un objet a été déposé à l'intérieur. Si le sac est trop petit ou fabriqué d'un tissu trop délicat, on verra immédiatement qu'il contient quelque chose.

Faites examiner le sac par plusieurs personnes. Votre complice doit être la dernière personne à examiner le sac. Une fois qu'ils sont convaincus qu'il n'y a rien de spécial avec le sac et qu'il est entièrement vide, demandez à votre complice de vérifier une dernière fois. Tout ce qu'il a à faire est de placer l'œuf à l'intérieur et de dire que le sac est vide. Faites un geste magique ou dites votre formule préférée. Montrer que votre main est vide et que vos manches sont remontées et ressortez l'œuf du sac à la grande surprise de tous!

LA PRÉSENTATION

Lorsque vous demandez à un complice de vous aider de la sorte, assurez-vous que les gens ne vous voient pas ensemble avant votre présentation. Ils pourraient penser que vous êtes de connivence s'ils vous voient discuter juste avant le spectacle!

LES EXPERTS

Ce principe peut être adapté à une tonne de petits objets, pas juste un œuf. Il serait également possible d'utiliser autre chose qu'un sac. Une poche de votre veste pourrait faire l'affaire. Laissez libre cours à votre imagination et faites-moi part de vos idées et résultats.

SAVIEZ-VOUS QUE...

Il y a une différence entre un assistant et un complice. Un assistant aide le magicien lors de ses spectacles et son travail n'est pas secret. Il peut, par exemple, amener le matériel requis pour un numéro sur la scène. De son côté, un complice est dans le secret du numéro. Il doit se faire passer pour un membre du public et agir en restant naturel. Les autres spectateurs ne devraient jamais se douter que le complice et le magicien sont de connivence.

LA BANANE
MAGIQUE

L'EFFET

Sans même toucher à une banane, le magicien réussit à la couper par la simple force de sa pensée.

LE MATÉRIEL

Une banane et une aiguille.

Figure 1

LA MÉTHODE

Ce tour est très simple. Vous allez simplement couper la banane à l'avance avec une aiguille.

ATTENTION: Soyez très prudent de ne pas vous piquer avec l'extrémité de l'aiguille!

Insérez délicatement l'aiguille dans la banane (figure 1). Il est important de ne pas traverser la peau de l'autre côté.

L'aiguille est ainsi insérée et son extrémité est appuyée contre la paroi intérieure de la banane.

À partir de cette position, faites pivoter l'aiguille vers la gauche afin qu'elle coupe la banane. Continuez l'action jusqu'à ce que l'aiguille soit appuyée sur la peau (figure 2).

Ramenez l'aiguille vers le centre de la banane et faites-la pivoter de l'autre côté en appuyant vers la droite afin de couper l'intérieur du fruit complètement. (figure 3)

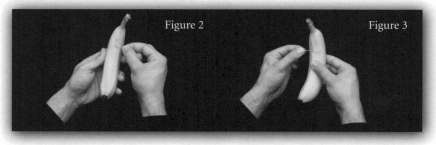

Figure 2   Figure 3

Il ne vous reste plus qu'à répéter l'opération à un autre endroit sur la banane (figure 4). Afin de dissimuler encore plus la préparation, tentez d'insérer votre aiguille à des endroits plus foncés ou encore qui démontrent de légères imperfections.

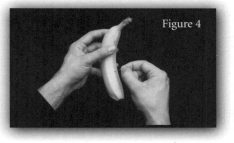

Figure 4

Il ne vous reste plus qu'à présenter le tour! Lorsque vous êtes prêt, pelez la banane (figure 5) et laissez tomber les morceaux (figure 6).

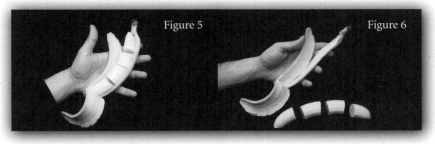

Figure 5

Figure 6

LA PRÉSENTATION

Ce tour est très drôle, car il est plutôt inhabituel de présenter de la magie avec des fruits. Vous pourriez expliquer que vous êtes capable de faire du karaté invisible. Faites de grands mouvements dans les airs comme si vous coupiez la banane à deux endroits. Lorsque vous la pèlerez, les spectateurs pourront constater les trois morceaux!

LES EXPERTS _____

Le tour a été décrit ici avec deux coupes et trois morceaux de banane, mais n'oubliez pas que vous pouvez en faire plus ! Cela pourrait être très drôle d'ouvrir une banane qui est déjà coupée en petits morceaux pour vos céréales du matin !

Voici un autre effet possible avec ce tour. Écrivez sur de petits bouts de papier les chiffres de 1 à 6. Demandez à un spectateur de piger un chiffre. Lorsque la banane est ouverte, le nombre de morceaux de banane correspond au chiffre sélectionné par le spectateur.

Pour l'instant, je vous laisse réfléchir à votre propre méthode. Pour ceux qui n'auraient pas trouvé comment faire ou pour ceux qui sont trop curieux, vous pourrez trouver une solution dans le tome 3 de la série sous le titre Le forçage utile.

LE CAPUCHON
MAGNÉTIQUE

L'EFFET
Le magicien enlève le capuchon d'un crayon à l'encre. Il le passe près du crayon et le voit s'élancer vers celui-ci comme s'il était aimanté.

LE MATÉRIEL
Un crayon de style BIC dont le capuchon se termine en pointe.

Figure 1

LA MÉTHODE

La méthode est très simple. Mouillez légèrement l'extrémité de votre index et de votre pouce avec un peu de salive. Prenez le capuchon entre ces doigts et alignez-le avec la pointe du crayon. Exercez une pression sur le capuchon. Ce dernier glisse alors entre vos doigts et s'élance vers le crayon (figures 1 et 2).

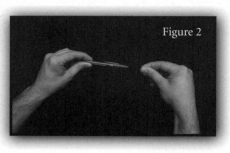

Figure 2

Le truc est simple, mais il faut le pratiquer de nombreuses fois afin d'exercer la pression requise sur le capuchon pour s'assurer que ce dernier atterrira sur la pointe du crayon plutôt que par terre !

LA PRÉSENTATION

Faites semblant de charger votre capuchon d'électricité statique en le frottant sur vos cheveux ou encore en le mettant en contact avec les pôles d'une pile. Soyez créatif !

LES EXPERTS

Il pourrait être intéressant de faire suivre ce tour par celui intitulé Le crayon qui disparaît ou de vous servir du même crayon comme d'une baguette magique.

LES ALLUMETTES FANTÔMES

L'EFFET

Le magicien place trois boîtes d'allumettes sur la table. Une seule boîte contient des allumettes. Le magicien mélange les boîtes et le spectateur n'arrive jamais à retracer quelle boîte contient les allumettes. En finale, le magicien fait disparaître les allumettes et montre que toutes les boîtes sont vides !

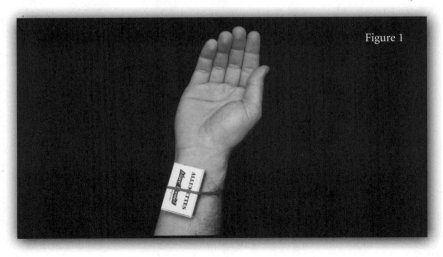
Figure 1

LE MATÉRIEL

Quatre boîtes d'allumettes, un élastique et un chandail ou une veste à manches longues.

LA MÉTHODE

Cette méthode est plutôt surprenante, car les trois boîtes qui sont sur la table sont vides dès le début du tour. Pour donner l'impression qu'une des boîtes contient des allumettes, vous devez avoir une 4e boîte dans votre manche qui contient quelques allumettes. C'est avec cette boîte que vous allez créer le son des allumettes. Placez la boîte sur votre bras et entourez-la de l'élastique afin qu'elle tienne en place. Il est important de placer la boîte sur votre poignet lorsque votre main est paume vers le haut (figure 1).

Si vous placez la boîte avec votre main paume vers le bas (figure 2), les spectateurs pourraient voir une forme au travers de votre veston. Assurez-vous également que la boîte est bien couverte par votre manche et qu'il n'est pas possible de l'entrevoir.

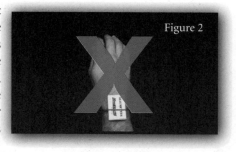

Figure 2

Placez les trois boîtes sur la table délicatement (figure 3). Montrez ensuite que deux des boîtes sont vides et qu'une d'entre elles contient des allumettes. La méthode est très simple. Pour montrer qu'une boîte est vide, agitez-la à l'aide de votre main gauche. Si vous voulez montrer qu'une boîte est pleine, agitez-la avec votre main droite (figure 4)! Le bruit créé par les allumettes dans la boîte attachée à votre poignet donnera l'impression que la boîte que vous tenez dans votre main est pleine. Afin que le bruit soit le plus convaincant possible, pivotez légèrement le poignet. Cela fera bouger les allumettes dans la boîte et aidera à créer le plus grand bruit possible.

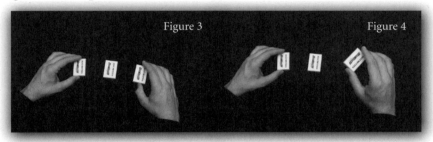

Figure 3   Figure 4

Mélangez les boîtes et demandez au spectateur où se trouve celle avec les allumettes. Montrez au spectateur que la boîte qu'il a choisie est vide en la bougeant avec votre main gauche et agitez une autre boîte avec votre main droite.

Après avoir répété ce petit jeu deux ou trois fois, expliquez à votre spectateur que ce n'était qu'une illusion en ouvrant les boîtes pour montrer qu'elles sont toutes vides.

LA PRÉSENTATION

Il est important d'être en parfait contrôle lors d'une telle présentation. Si les spectateurs veulent agripper les boîtes dès le début du tour, ceci pourrait ruiner votre présentation. Si vous sentez que vos spectateurs sont trop curieux et qu'ils veulent absolument toucher à votre matériel, il est préférable de changez

votre présentation. Au lieu de faire choisir la boîte par un spectateur, vous pourriez raconter une histoire où vous expliquez
ce qui vous est arrivé lorsque vous avez tenté de jouer à ce jeu.
Montrez que les allumettes changent de place en racontant votre
histoire et terminez en montrant que les allumettes ont disparu.

LES EXPERTS

Ce tour offre plusieurs possibilités de finales. Au lieu de
montrer que les allumettes ont disparu, vous pourriez aussi
faire apparaître un autre objet dans les boîtes d'allumettes. Il
faut simplement s'assurer que cet objet ne fera pas de bruit
durant la présentation.

La figure 5 montre quelques
exemples. Vous pourriez
placer des bouts de papier
avec un message ou encore
des foulards de différentes
couleurs. Une autre présentation possible serait de coller
des allumettes dans une des
boîtes afin qu'elle ne fasse pas

Figure 5

de bruit. De cette façon, vous pourrez montrer à la fin du tour
qu'une des boîtes contenait réellement des allumettes.

À vous de trouver d'autres objets qui pourraient être placés
dans les boîtes et qui ne font pas de bruit.

Une autre présentation nécessite l'utilisation de boîtes légèrement
différentes. Modifiez de petites boîtes afin qu'elles ressemblent

à des boîtes de bonbons! Expliquez qu'une seule boîte contient un bonbon. Exécutez le tour et, en finale, montrez que les boîtes de bonbons sont vides. Vous pouvez même faire apparaître le bonbon dans votre bouche pour conclure le tour!

SAVIEZ-VOUS QUE...

Des cinq sens (la vue, l'odorat, le toucher, l'ouïe et le goût), la vue est le sens qui est le plus souvent trompé par la magie. On fait souvent référence aux illusions d'optiques comme étant magiques, car elles trompent l'œil. Le dernier tour est un exemple où l'on trompe un autre sens, dans ce cas, l'ouïe.

PIF PAF POUF

L'EFFET
Deux épingles à couche sont attachées ensemble. En tirant, le magicien les fait passer une au travers de l'autre.

LE MATÉRIEL
Deux épingles à couche.

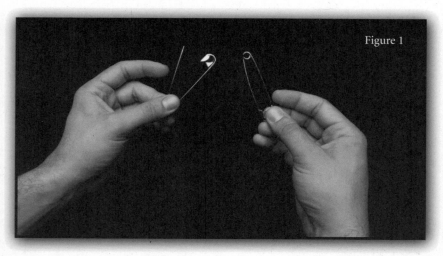

Figure 1

LA MÉTHODE

Ce tour est assez simple à exécuter. Le plus difficile est de bien comprendre comment placer les épingles l'une par rapport à l'autre. Une fois que vous aurez pratiqué ce tour à plusieurs reprises et que vous aurez maîtrisé cette préparation, vous pourrez présenter un tour très impressionnant qui figure, encore aujourd'hui, dans mon répertoire professionnel !

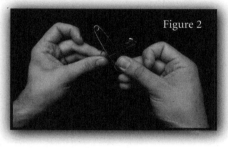

Figure 2

Ouvrez une épingle et tenez-la avec votre main gauche afin que l'ouverture soit sur la gauche (figure 1). Prenez l'autre épingle avec votre main droite et insérez-la sur la branche qui est ouverte. Il est important que le bout rond qui forme le milieu de l'épingle soit vers le haut et que votre main droite tienne le côté qui sert à ouvrir l'épingle (figure 2).

Vous allez maintenant tenir l'épingle de la main droite avec votre pouce gauche (figure 3). De cette façon, votre main droite sera libre de fermer l'épingle qui était initialement tenue par la main gauche (figure 4).

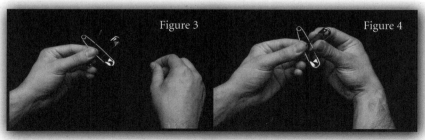

Figure 3

Figure 4

Reprenez l'épingle avec votre main droite. Chaque main tient donc une épingle à couche. Il ne vous reste plus qu'à tirer assez fort sur chaque épingle. Votre main droite doit se déplacer vers la droite et votre main gauche vers la gauche (figure 5). Si vous tirez assez fort, les deux épingles devraient se séparer (figure 6).

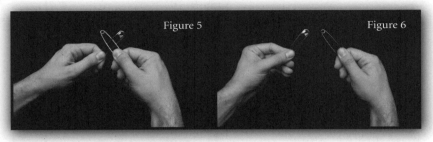

Figure 5   Figure 6

Les premières fois où vous allez pratiquer ce tour, il se peut qu'il semble impossible de séparer les épingles. N'hésitez pas à tirer très fort, c'est la clé du succès pour ce tour.

LA PRÉSENTATION

Ce tour-ci est vraiment fascinant pour les spectateurs. Afin de réellement les mystifier, vous pouvez le combiner avec le tour Les épingles magiques que vous avez déjà appris dans ce livre. Puisque ce tour ne demande pas de préparation spéciale, il est idéal pour suivre un tour qui en demande une.

Vous pouvez faire référence aux magiciens qui présentent le tour des anneaux chinois où l'on fait passer de gros anneaux métalliques un au travers de l'autre.

LES EXPERTS

Lorsque vous serez à l'aise avec la méthode, vous pourrez donner les épingles aux spectateurs afin qu'ils vérifient qu'elles sont bel et bien prises ensemble. Vous devrez cependant vous replacer dans la bonne position après que le spectateur vous aura remis les épingles. Cela peut être un peu plus difficile. Étudiez bien la figure 5 afin de bien maîtriser la position.

ATTENTION : Bien que ce tour ne soit pas trop difficile à exécuter, il exige la manipulation de deux épingles dont le bout est très piquant. Faites bien attention !

SAVIEZ-VOUS QUE...

Il existe un type de magie très particulier qui s'appelle le transformisme. Ce type de magie consiste à se changer d'un costume à un autre en une fraction de seconde. Présentement, il n'y a aucun doute que le maître de ce type de magie est  Arturo Brachetti. Né à Turin en Italie, il a ressuscité le transformisme qui n'avait pas été pratiqué depuis Fregoli (1867-1936). On dit qu'il possède plus de trois cent cinquante costumes !

L'INDEX MUTANT

L'EFFET
Le magicien semble avoir l'index de sa main droite plus long que tous les autres doigts !

LE MATÉRIEL
Vos deux mains.

Figure 1

100

LA MÉTHODE

Ce tour n'est pas compliqué. Il faut cependant le pratiquer devant un miroir afin d'arriver à créer une illusion qui soit convaincante.

Croisez d'abord l'index et le majeur de votre main gauche (figure 1). Par la suite, placez l'index de votre main droite sous le pont formé par votre majeur gauche. Tentez le plus possible de l'aligner avec votre index gauche. Si vous réussissez, vous aurez

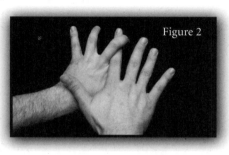

Figure 2

l'impression que votre index droit est beaucoup plus long (figure 2) que tous les autres doigts. Assurez-vous que les specta-teurs voient vos doigts du dessus et ainsi l'illusion sera parfaite.

Lorsque les spectateurs auront eu le temps de voir votre index «allongé», retournez les deux mains vers eux et, à l'aide des doigts de la main gauche, massez l'extrémité de votre index droit. En frottant sans hésitation, vous donnerez l'impression que votre index a retrouvé sa taille normale presque instantanément.

LA PRÉSENTATION

Parlez d'extraterrestres ou de mutants qui ont des doigts étranges. Terminez votre histoire en annonçant aux spectateurs que vous avez aussi un doigt spécial et que vous allez le leur montrer.

LES EXPERTS

Avec de la pratique, vous allez pouvoir accélérer le processus et faire la préparation devant vos spectateurs. Une fois que vous serez en position, essayez de bouger légèrement votre main gauche vers l'avant ou vers l'arrière. Vous créerez ainsi l'illusion que votre index s'allonge et se rapetisse à volonté.

SAVIEZ-VOUS QUE...

En 1856, Jean-Eugène Robert-Houdin est envoyé en Algérie par la France, afin d'aider à calmer la révolte. Là-bas, un regroupement d'hommes, nommés Marabouts, pratiquaient la magie. En envoyant Robert-Houdin, le gouvernement français voulait prouver  aux Marabouts qu'il était le plus puissant des magiciens et donc que la magie française était plus puissante que la leur.

Robert-Houdin présenta un tour qui est presque une légende aujourd'hui : *Le tour du coffre lourd et léger*. Il présenta un coffre et demanda à une jeune fille de le soulever. La demoiselle s'exécuta, preuve que le coffre était léger. Après quelques gestes magiques, Robert-Houdin demanda au plus fort des Algériens de soulever le coffre. L'homme n'y arriva pas. Tous crurent que Robert-Houdin pouvait dérober de sa force n'importe quel homme. Devant cet exploit, les Algériens eurent peur et la révolte s'éteignit.

L'ÉLASTIQUE
AU TRAVERS DU POUCE

L'EFFET

Le magicien passe un élastique autour de son pouce. En tirant sur l'élastique, ce dernier semble passer au travers du doigt du magicien.

LE MATÉRIEL

Un élastique.

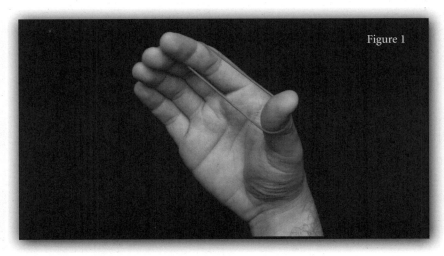

Figure 1

LA MÉTHODE

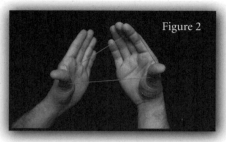

Figure 2

Placez l'élastique autour du pouce et de l'index de la main droite (figure 1). Avec le pouce de votre main gauche, tirez sur la bande du bas afin de créer un triangle avec l'élastique (figure 2).

Tout en conservant votre pouce gauche dans cette position, retournez la paume de votre main gauche vers l'intérieur et agrippez la bande qui est la plus près de vous à l'aide de votre index gauche (figure 3). Tirez ensuite cette bande vers la gauche (figure 4). Si vous exécutez la technique correctement, vous devriez vous retrouver avec deux triangles, un plus petit sous un plus grand.

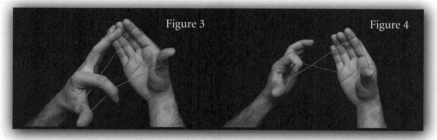

Figure 3

Figure 4

Votre main gauche doit pivoter légèrement vers l'avant afin que votre pouce entre dans le plus grand triangle et s'appuie sur l'intersection des deux triangles (figure 5). Une fois le pouce appuyé, étirez l'élastique avec votre main droite vers le haut, ce qui créera de la tension dans celui-ci. Pendant ce temps, l'index de la main gauche retient l'élastique (figure 6) et c'est cette boucle sous le pouce qui empêche l'élastique de passer au travers du pouce.

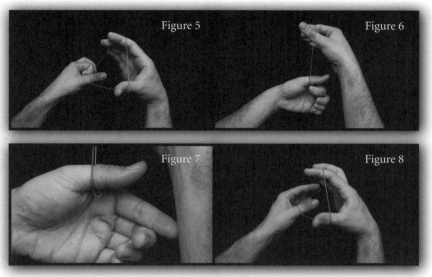

Figure 5

Figure 6

Figure 7

Figure 8

Si vous faites assez de pression avec votre main droite, il vous sera possible de retirer l'index de la main gauche (figure 7) pour donner une image très claire de l'élastique encerclant le pouce gauche (figure 8). Cette dernière étape est la plus difficile de cette manipulation. Ne vous découragez pas si l'élastique traverse le pouce dès que vous libérez votre index. Vous réussirez malgré tout à présenter un tour très impressionnant.

Toutefois, si vous avez réussi à enlever votre index sans que l'élastique traverse le pouce, il ne vous reste plus qu'à exécuter la dernière étape. Pour ce faire, vous avez deux options. Premièrement, vous pouvez bouger l'élastique avec votre main droite : en faisant de petits mouvements, la boucle finira par se détacher et l'élastique passera au travers du pouce (figure 9). Sinon, vous pouvez rapprocher les doigts de votre main droite vers votre pouce gauche. Cela aura pour effet de réduire la tension dans l'élastique, libérant ainsi la partie de l'élastique qui se trouve sous votre pouce. Cette image sera très claire pour les spectateurs (figure 10).

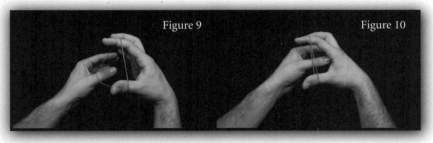

Figure 9

Figure 10

LA PRÉSENTATION

Ce tour n'est pas facile et demande beaucoup de pratique. Bien que la manipulation puisse sembler complexe au départ, ne vous découragez pas, car cela deviendra un automatisme avec la pratique.

De plus, pendant l'étape de préparation, tentez de ne pas trop regarder vos mains. Si l'action naturelle de passer un élastique autour de son pouce est facile, la technique qui simule cette action devrait l'être aussi. Tentez donc d'être le plus naturel possible dans vos mouvements.

Afin de rendre le tour encore plus convaincant, demandez à un spectateur de tenir l'extrémité de votre pouce. De cette façon, les spectateurs ne pourront pas croire que vous avez simplement fait glisser l'élastique le long de votre pouce.

SAVIEZ-VOUS QUE...

Doug Henning (1947-2000) est né à Winnipeg au Manitoba. Il s'intéressa à la magie dès l'âge de six ans après avoir vu un magicien à la télévision. Il présenta plusieurs spectacles sur Broadway en mélangeant la magie et la comédie musicale. Il était reconnu pour s'habiller avec des costumes flamboyants de l'époque hippie au lieu de porter le costume de magicien plus traditionnel.

LA SALIÈRE
QUI DISPARAÎT

L'EFFET

Le magicien prétend qu'il va faire disparaître une pièce de monnaie. Il utilise une salière pour couvrir cette dernière, puis dissimule le tout à l'aide d'une serviette de table en papier. Le magicien tente de faire disparaître la pièce de monnaie mais… c'est la salière qui se volatilise! Cette dernière réapparaît ensuite dans la poche du magicien.

Figure 1

LE MATÉRIEL

Une serviette de table en papier, une salière et une pièce de monnaie (figure 1).

LA MÉTHODE

Vous devez être assis pour présenter ce tour, car vous allez laisser tomber la salière sur vos genoux. Il est donc très important que vos genoux soient collés et légèrement surélevés afin que la salière ne tombe pas par terre.

Prenez la serviette de papier et placez-la sur la salière afin qu'elle prenne la forme de cette dernière (figure 2). De cette façon, il sera impossible pour les spectateurs de savoir si la salière se trouve ou non sous la serviette.

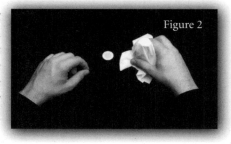

Figure 2

Vous allez maintenant couvrir la pièce de monnaie avec la salière (figure 3). Demandez à vos spectateurs s'ils ont remarqué la pièce qui se trouve sous la salière. Par exemple, ils devraient vous répondre qu'il s'agit d'une pièce de deux dollars. Afin de vérifier leurs dires, retirez vers vous la salière enveloppée et pointez de votre main gauche la pièce pour montrer que c'est effectivement le cas. Votre main droite se déplace vers vous, soit vers le rebord de la table (figure 4). Ne laissez pas tomber la salière immédiatement. Cette première partie de la manipulation permet aux spectateurs de s'habituer à vos gestes ; c'est la technique du *conditionnement*. Nous reparlerons de cette technique dans le tour Le crayon qui disparaît.

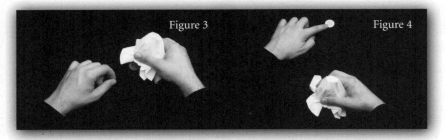

Refaites la même action, mais cette fois demandez aux spectateurs si la pièce est sur le côté pile ou face. Mettez en retrait la salière enveloppée de papier et, en pointant la pièce, amenez-la jusqu'au rebord de la table, au-dessus de vos jambes, et laissez-la tomber (figure 5).

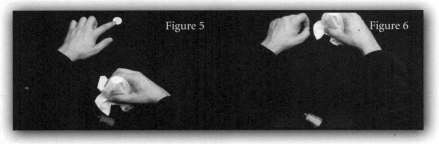

En gardant une légère pression sur la serviette, vous donnerez l'impression que la salière se trouve toujours sous celle-ci. Placez la serviette sur la pièce de monnaie et expliquez que vous allez maintenant faire disparaître cette dernière (figure 6).

Avec votre main gauche, appuyez fortement sur la serviette (figure 7). Vos spectateurs auront l'impression de voir disparaître la salière sous leurs yeux. Déplacez quelque peu la serviette afin de montrer que la pièce se trouve toujours sur la table, mais que la salière a définitivement disparu.

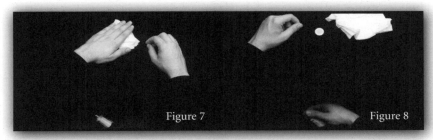

Figure 7   Figure 8

Il ne vous reste plus qu'à faire réapparaître la salière. Pour ce faire, agrippez-la avec votre main droite (figure 8), glissez-la le long de votre corps et déposez-la dans votre poche droite. Retirez votre main, levez-vous et montrez vos mains vides aux spectateurs. Puis, fouillez dans votre poche et faites réapparaître la salière (figure 9 – sur la photo, la salière est produite de la poche de mon veston). Vous pourriez également produire la salière de votre poche de pantalon.

Figure 9

LA PRÉSENTATION

La présentation repose sur le fait que les spectateurs doivent être convaincus que la pièce de monnaie va disparaître. Insistez sur ce point et personne ne se souciera de la salière.

Au moment de faire réapparaître la salière, faites-la sortir de votre poche sans hésitation et les gens n'y verront que du feu. L'important est de garder le rythme. Profitez du moment où les spectateurs réagissent à la disparition de la salière pour exécuter votre technique ; lorsque les gens sont stupéfaits, ils sont moins attentifs.

LES EXPERTS

Utilisez le tour Le crayon qui disparaît, expliqué un peu plus loin dans ce livre, et faites disparaître la pièce de monnaie en finale.

SAVIEZ-VOUS QUE...

La micromagie est un type de magie qui utilise de petits objets et qui se présente tout près des spectateurs. La micromagie est souvent la magie la plus populaire, puisqu'elle ne demande pas de matériel complexe. Certains magiciens vont même jusqu'à présenter des tours de micromagie sur scène en s'aidant de caméras et d'écrans géants.

La télévision a permis de rendre ce type de magie encore plus populaire récemment, grâce à des magiciens comme David Blaine et Criss Angel qui présentent des tours de magie dans la rue.

LA PIÈCE
QUI PLEURE

L'EFFET
Le magicien présente une pièce de monnaie aux spectateurs. Sans aucune explication, un filet d'eau se met à couler de la pièce.

LE MATÉRIEL
Une pièce de monnaie et un morceau de mouchoir.

Figure 1

LA MÉTHODE

Ce tour n'est pas compliqué à réaliser. Déchirez une petite partie du mouchoir, mouillez-la et faites-en une boule minuscule. Le mouchoir doit être juste assez mouillé pour ne pas se mettre à couler du simple fait que vous le teniez. La boule, quant à elle, doit être plus petite que la pièce de monnaie.

Placez la boule derrière la pièce de monnaie. Appliquez une légère pression sur la boule, et la pièce « pleurera » pendant quelques secondes.

LA PRÉSENTATION

Expliquez que les objets inanimés ont eux aussi des sentiments. Racontez une histoire triste et, au moment voulu, faites pleurer la pièce. Ou encore, expliquez que la reine va pleurer si vous serrez trop fortement la pièce de monnaie que vous tenez dans votre main. Vous pourriez aussi faire part de vos connaissances scientifiques à votre public en expliquant que tous les métaux contiennent une petite quantité d'eau et qu'en vous concentrant vous pouvez l'extraire.

LES EXPERTS

Vous pouvez également faire examiner la pièce de monnaie par un spectateur. Pendant qu'il examine la pièce, tenez la boule de mouchoir entre vos doigts et votre pouce. N'exercez pas de pression, sinon l'eau va couler (figure 1). Une fois que le

Figure 2

spectateur vous aura rendu la pièce, placez discrètement la boule derrière celle-ci à l'aide de votre pouce droit (figure 2). Procédez avec le tour.

SAVIEZ-VOUS QUE...

Alexander Herrmann (1843-1896) était connu à son époque pour les grandes illusions qu'il présentait. Pourtant, il présentait aussi des tours de micromagie. Un de ses tours les plus mémorables s'est passé chez un pâtissier. Il fit disparaître une pièce de monnaie et la fit réapparaître à l'intérieur d'un petit pain. Le pâtissier était tellement impressionné de voir que son pain pouvait contenir de l'argent qu'il se mit à ouvrir tous les petits pains de son magasin dans l'espoir d'y trouver d'autres pièces de monnaie.

LA FICELLE COUPÉE ET RESTAURÉE

L'EFFET

Le magicien insère une ficelle dans une paille. On voit clairement la ficelle ressortir de chaque côté de la paille. Le magicien coupe la paille, et donc la ficelle par la même occasion, en plein centre. Le magicien retire les deux bouts de paille mais, à la surprise de tous, la ficelle est intacte !

LE MATÉRIEL

Une paille, une ficelle et une paire de ciseaux.

Figure 1

LA MÉTHODE

Pour arriver à présenter ce tour surprenant, il faut préparer la paille à l'avance.

ATTENTION: La prochaine étape est très délicate, car on doit utiliser un objet coupant. Si vous n'êtes pas à l'aise ou si vous ne voulez pas prendre de risques, demandez l'aide d'un adulte!

Prenez la lame de vos ciseaux ou encore utilisez une lame de type «exacto» pour créer une fente d'environ 4 à 5 centimètres au centre de la paille (figures 1 et 2). Soyez très prudents, car vous utilisez un outil très coupant!

Figure 2

Une fois que la fente est faite dans la paille, vous êtes prêt à commencer votre truc.

Insérez la ficelle dans la paille en vous assurant que la ficelle dépasse de chaque côté (figure 3). Par la suite, pliez la paille en plein centre et tenez les extrémités de la paille avec votre main gauche (figure 4). Lorsque vous pliez la paille, il est important que la fente soit à l'intérieur du pli. Cela évitera d'exposer la préparation à vos spectateurs et permettra d'exécuter la technique qui suit.

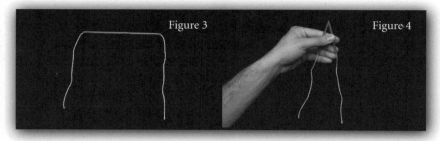

Figure 3   Figure 4

Vous allez maintenant exécuter une technique secrète sous prétexte de chercher vos ciseaux. Dites que vous avez besoin de vos ciseaux pour couper la corde. Vous cherchez vos ciseaux du regard et vos spectateurs suivront vos yeux (cette technique de *détournement d'attention* est expliquée dans le Saviez-vous que... de la page 79).

Au même moment, votre main droite agrippe les deux extrémités de la ficelle et tire (figure 5) vers le bas. Cette action force la ficelle à passer au travers de la fente et à venir s'appuyer sur les côtés de la fente. La figure 6 montre le résultat de cette action secrète. Pour savoir si vous êtes en bonne position, la ficelle devrait former la lettre « A » avec la paille qui est pliée.

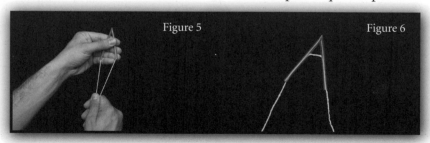

Figure 5   Figure 6

Il est évident que les spectateurs ne doivent pas voir la ficelle dans cette position. Servez-vous des doigts de votre main gauche pour cacher la ficelle (la position devrait ressembler à celle de la figure 4).

Vous allez maintenant prendre vos ciseaux et couper la paille en plein centre (figure 7). Une fois que la paille est coupée et parce que votre main gauche cache la ficelle, les spectateurs devraient avoir une image très claire. La paille et la ficelle paraissent toutes deux coupées (figure 8).

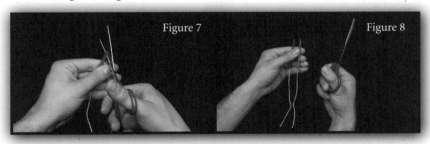

Figure 7

Figure 8

Rangez vos ciseaux. Par la suite, replacez la paille et la ficelle en une ligne droite (figure 9). Claquez des doigts et tirez sur la ficelle jusqu'à ce qu'elle soit complètement sortie des bouts de paille (figure 10).

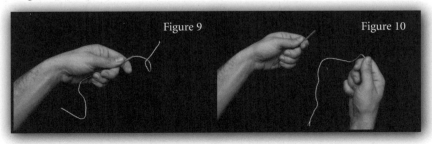

Figure 9

Figure 10

Il ne vous reste plus qu'à placer les deux bouts de paille dans votre poche (histoire que les spectateurs ne découvrent pas votre préparation) et à donner la ficelle à vos spectateurs pour qu'ils puissent l'examiner.

LA PRÉSENTATION
Pour présenter une petite routine avec une ficelle, on combine ce tour avec La fusion des ficelles.

LES EXPERTS
Afin d'être toujours prêt à présenter ce tour, vous pouvez préparer à l'avance plusieurs pailles. De cette façon, vous pourrez présenter ce tour, même si on vous le demande à la dernière minute.

Une fois que vous êtes à l'aise avec la méthode, vous pouvez adopter différentes positions avec les bouts de paille afin de donner une image encore plus claire que la ficelle est coupée. Vous trouverez deux exemples de positions aux figures 11 et 12. Vous pouvez aussi vous amuser à trouver d'autres positions!

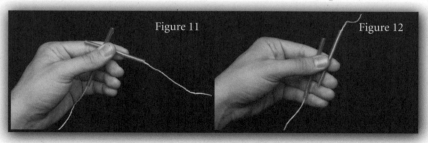

Figure 11   Figure 12

LE CRAYON QUI DISPARAÎT

L'EFFET

Le magicien tente de faire disparaître une pièce de monnaie en se servant d'un crayon comme baguette magique. À la surprise des spectateurs, c'est le crayon qui disparaît. Le magicien montre aux spectateurs que le crayon est réapparu sur son oreille.

LE MATÉRIEL

Une pièce de monnaie et un crayon.

LA MÉTHODE

Cette méthode est basée sur le conditionnement, technique que nous avons utilisée dans le tour La salière qui disparaît. Lorsqu'un mouvement est répété plusieurs fois, les spectateurs ne le suspectent plus. En voici un exemple.

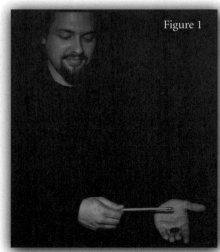

Figure 1

Demandez à un spectateur de répondre aux trois questions suivantes sans prendre le temps de trop réfléchir.

Peux-tu nommer un liquide blanc? Qu'est-ce qu'une mère fait boire à son bébé? Qu'est-ce que boit une vache?

Cette blague, qui circule sur Internet, est un petit jeu-questionnaire qu'il est agréable de faire passer aux amis. La majorité des gens s'empresseront de répondre « du lait » à la troisième question plutôt que de dire « de l'eau ». Puisque les deux premières réponses étaient identiques, il devient presque automatique de donner la même réponse une troisième fois. C'est ce qu'on appelle le conditionnement. C'est cette technique que nous utiliserons afin de faire disparaître le crayon.

Figure 2

Tenez le crayon dans la main droite et la pièce dans la main gauche. Annoncez que la pièce de monnaie va disparaître au compte de « trois ». Ouvrez la main gauche afin de bien montrer que la pièce s'y trouve et placez-la devant vous (figure 1).

Levez le bras droit afin que le crayon soit environ à la hauteur de votre oreille (figure 2). En comptant « un », descendez-le jusqu'à toucher la pièce de monnaie. Reprenez exactement le même mouvement de haut en bas en comptant «deux». Avant le compte de trois, au moment où votre main droite se situe à la hauteur de votre oreille, glissez le crayon sur cette dernière (figure 3). Puis, redescendez votre bras en comptant «trois», exactement comme vous l'avez fait auparavant. Attendez un bref instant. Ouvrez votre main droite toute grande pour montrer aux spectateurs que c'est le crayon qui a disparu (figure 4).

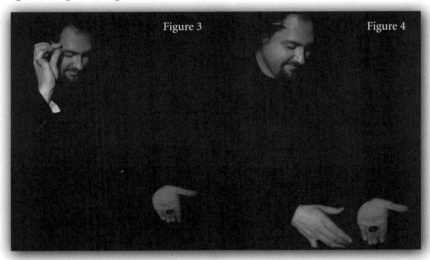

Figure 3   Figure 4

Le mouvement du bras est simple, mais il faut s'assurer de garder un certain rythme en l'exécutant. Si votre geste est saccadé ou trop hésitant, vous allez détourner l'attention des spectateurs de la pièce de monnaie vers votre bras.

Après quelques instants, montrez aux spectateurs que le crayon s'est posé sur votre oreille (figure 5)!

Figure 5

LA PRÉSENTATION

Plus vous réussirez à concentrer l'attention des spectateurs sur la pièce de monnaie, plus ils seront surpris de voir que le crayon a disparu.

LES EXPERTS

Voici une technique qui vous permettra de faire disparaître la pièce de monnaie après en avoir fait autant avec le crayon!

Même si la méthode est simple, elle requiert de la pratique. Lorsque vous montrez aux spectateurs que le crayon s'est posé sur votre oreille, toute leur attention est dirigée vers celle-ci. Pendant qu'ils regardent le crayon, hâtez-vous de déposer la pièce de monnaie dans votre poche gauche de pantalon (figure 6 – sur la photo, la pièce est déposée dans la poche de mon

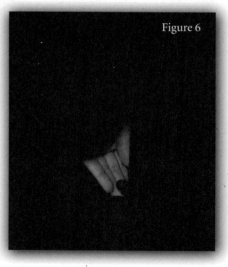

Figure 6

veston) et ressortez rapidement la main, tout en gardant le poing fermé, afin qu'ils ne se rendent pas compte de la supercherie.

De la main droite, ramassez le crayon posé sur votre oreille (figure 7) et tapez avec ce dernier sur votre main gauche. Ouvrez la main pour laisser voir que la pièce de monnaie s'est bel et bien envolée (figure 8).

Figure 7   Figure 8

SAVIEZ-VOUS QUE...

La baguette magique est utilisée depuis toujours par les magiciens. En plus d'être l'outil du magicien et d'être un symbole de son pouvoir, certains magiciens l'utilisent afin de mieux diriger l'attention des spectateurs vers certains objets. Vous pouvez fabriquer votre propre baguette magique. À vous de trouver ce qui la rendra originale.

LE PAIN
EN CAOUTCHOUC

L'EFFET
Le magicien explique que le pain qu'il s'apprête à manger ne semble pas très frais. On dirait presque du caoutchouc. Il lance le pain vers le sol et ce dernier rebondit !

LE MATÉRIEL
Un petit pain. De plus, le magicien doit être près d'une table ou d'une surface qui bloque la vue des spectateurs.

LA MÉTHODE
Voici une petite blague que vous pourrez faire avec des petits pains lorsqu'ils ne sont pas très frais.

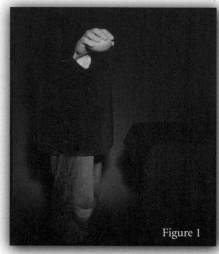

Figure 1

Placez-vous derrière une table ou un comptoir afin que vos spectateurs ne puissent pas voir le mouvement secret. Vous allez faire semblant de lancer le pain vers le sol. Votre bras va commencer la motion jusqu'à ce qu'il soit en extension sous le niveau de la table. Les figures 1 et 2 montrent l'action qui donne l'impression que vous lancez le pain vers le sol.

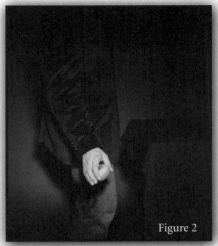

Figure 2

Une fois que votre main est sous le niveau de la table, retournez-la paume vers le haut (figure 3). Vos doigts donnent alors un petit coup vers le haut et projettent le pain dans les airs.

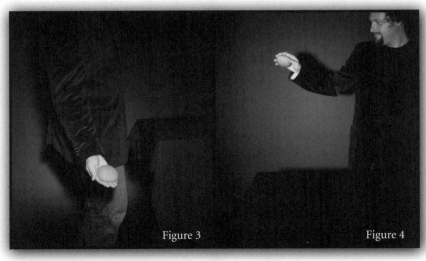

Figure 3

Figure 4

Pour que l'illusion soit encore plus convaincante, suivez le pain du regard et lorsqu'il remonte dans les airs, donnez un petit coup avec votre tête vers le haut. Cette action aidera à renforcer l'illusion.

Figure 5

Figure 6

Les figure 4, 5 et 6 montrent la séquence du point de vue d'un spectateur.

LA PRÉSENTATION

Ce tour est très simple à réaliser, mais demande un peu de pratique. Essayer de pratiquer devant un miroir afin de voir si l'illusion est bonne et faites attention de bien placer votre main en dessous du niveau de la table, sinon le tour ne sera pas convaincant.

LES EXPERTS

Il est possible d'utiliser cette technique avec d'autres objets qu'un petit pain. Voyons ce que vous allez trouver !

SAVIEZ-VOUS QUE...

Certains magiciens présentent ce qu'on appelle les méga-illusions. Ce sont des tours grandioses qui sont souvent présentés une seule fois pour la télévision. On pense souvent à David Copperfield qui a fait disparaître la statue de la Liberté à New York en 1983, ou encore à Franz Harrary qui, en 1994, a fait disparaître une navette spatiale.

L'ÉVASION

L'EFFET
Le magicien demande à un spectateur de lui attacher les poignets avec un foulard. Une corde est ensuite passée entre les poignets du magicien derrière le foulard. Le spectateur tient lui-même les bouts de la corde. On place un foulard par-dessus les mains du magicien pour protéger son secret. Après quelques secondes, le magicien réussit à se libérer de la corde.

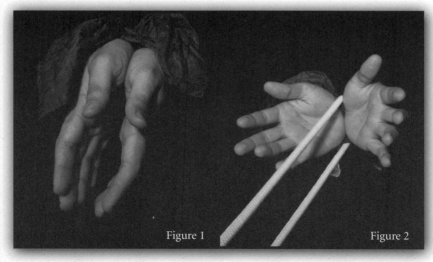

Figure 1   Figure 2

LE MATÉRIEL

Un foulard et une corde. Vous aurez également besoin d'un grand foulard ou d'une veste pour couvrir vos mains.

LA MÉTHODE

Demandez à un spectateur d'attacher vos mains avec le foulard (figure 1). Il peut faire autant de nœuds qu'il le désire, mais n'oubliez pas qu'à la fin du tour il devra les dénouer (ce n'est pas du foulard que vous devrez vous évader!) Demandez-lui ensuite de placer la corde autour du foulard entre vos poignets (figure 2). Le spectateur doit tenir les extrémités de la corde afin de s'assurer que vous ne trichiez pas. Demandez à un autre spectateur de couvrir vos mains avec un autre grand foulard ou une veste, histoire de protéger votre secret.

Pour vous évader, frottez vos poignets ensemble. Cela aura pour effet de bouger le milieu de la corde vers l'avant (figure 3).

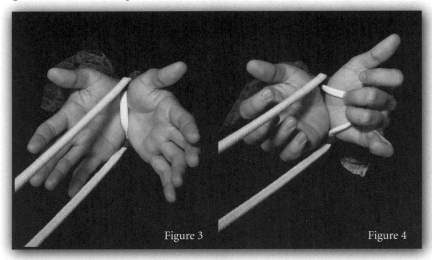

Figure 3   Figure 4

Une fois que la corde est un peu plus vers l'avant, vous devriez pouvoir l'agripper avec vos doigts (figure 4).

Tirez la corde avec vos doigts jusqu'à ce que vous arriviez à passer la corde par-dessus une de vos mains (figure 5). Une fois que la corde est passée par-dessus votre main (figure 6), il ne reste plus qu'à demander au spectateur de tirer sur la corde et vous serez libéré!

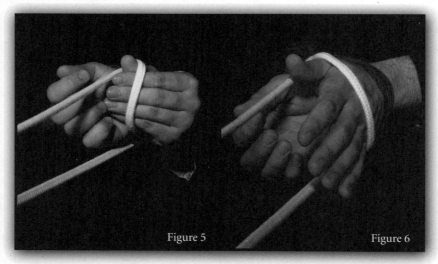

Figure 5   Figure 6

LA PRÉSENTATION

Puisque ce tour est une évasion, il serait tout à fait approprié de parler du magicien Houdini qui était le roi de l'évasion. Pour plus d'informations sur ce grand magicien, consultez le Saviez-vous que... à la page 50.

LA DISPARITION COMPLÈTE

L'EFFET
Une pièce de monnaie disparaît lorsqu'elle est placée dans un foulard.

LE MATÉRIEL
Un foulard opaque, une pièce de monnaie et un petit élastique (idéalement de la même couleur que le foulard).

Figure 1

LA MÉTHODE

Pour présenter ce tour, il suffit de cacher un petit élastique dans votre main droite (figure 1). Faites examiner le foulard, reprenez-le et placez-le sur votre main droite (figure 2).

Figure 2

En dessous du foulard, vous allez étirer l'élastique autour d'au moins trois de vos doigts (la figure 3 montre la position sans le foulard). Vous allez maintenant insérer un bout du foulard à l'intérieur de l'élastique de façon à former un petit tunnel. Pour y arriver, un doigt de votre main gauche doit appuyer sur le tissu, là où votre main droite tient l'élastique (figure 4).

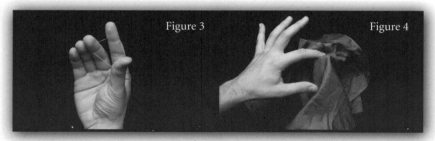

Figure 3

Figure 4

Il ne vous reste plus qu'à placer la pièce de monnaie dans le foulard (figure 5) ou, encore mieux, à demander au spectateur de le faire lui-même! Agrippez maintenant un des coins du foulard avec votre main gauche (figure 6).

Figure 5

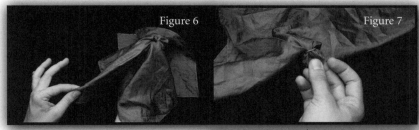

Figure 6

Figure 7

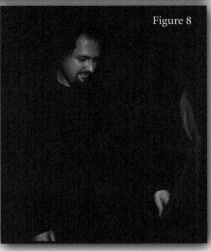

Figure 8

Pour faire disparaître la pièce, lâchez l'élastique avec les doigts de votre main droite. L'élastique créera de la pression sur le tissu ce qui va emprisonner la pièce dans le foulard (la figure 7 montre l'élastique, mais cette prise de vue ne sera jamais exposée à vos spectateurs). Tirez sur le coin avec la main gauche et agitez le foulard de bas en haut pour montrer clairement que la pièce de monnaie a disparu (figure 8).

LA PRÉSENTATION

Vous pouvez avoir un deuxième foulard identique dans votre boîte de magie au cas où un spectateur demanderait à l'examiner. Vous n'aurez alors qu'à lui donner le duplicata. Si vous utilisez deux pièces de monnaie identiques, vous pouvez montrer que la deuxième pièce (la même pour vos spectateurs) est réapparu ailleurs après avoir disparu. Pensez à différents endroits qui pourraient être surprenants pour vos spectateurs.

LES EXPERTS

Le grand avantage de cette technique est que vous n'êtes pas limité à l'utilisation de pièces de monnaie. Vous pouvez faire disparaître n'importe quel petit objet. Vous pourriez même faire disparaître des allumettes ou une bague. Écrivez-moi pour me dire comment vous avez utilisé cette technique dans votre spectacle !

SAVIEZ-VOUS QUE...

Harry Blackstone Jr., le fils de Harry Blackstone Sr., possède le record du plus grand nombre de spectacles de magie présentés sur Broadway. Bien qu'il ait commencé sa carrière comme magicien comique, il finit par présenter des spectacles contenant de grandes illusions.

LES ALLUMETTES OBÉISSANTES

L'EFFET

Le magicien montre une boîte pleine d'allumettes. Lorsqu'il retire le tiroir du couvercle, les allumettes ne tombent pas, même si le tiroir est face vers le bas! Quelques secondes plus tard, il demande aux allumettes de tomber et ces dernières tombent sur la table.

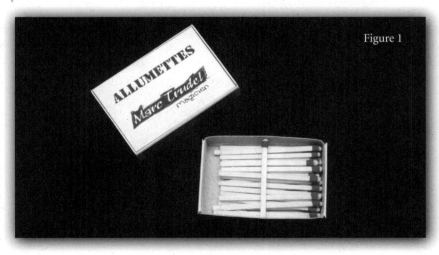

Figure 1

LE MATÉRIEL

Une boîte d'allumette. Il faut casser une allumette afin qu'elle soit de la largeur de la boîte.

LA MÉTHODE

Il suffit de placer la plus petite allumette perpendiculairement aux autres dans la boîte (figure 1).

Lorsque vous ouvrez le tiroir face vers le bas, faites une pression avec le pouce et l'index de votre main gauche à l'endroit où se trouve l'allumette placée perpendiculairement (figures 2 à 4).

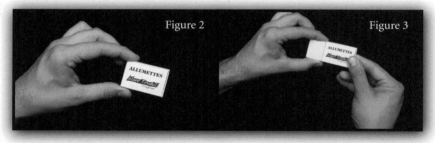

Figure 2   Figure 3

En donnant un léger coup avec votre doigt, l'allumette sera délogée et les allumettes tomberont sur la table (figure 5).

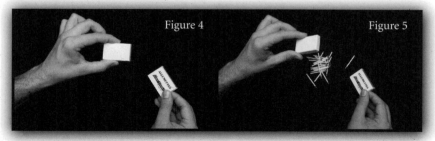

Figure 4   Figure 5

LA FOURCHETTE SE TRANSFORME EN COUTEAU

L'EFFET

Le magicien place une fourchette sur un foulard qui est étendu sur la table. Il roule l'ustensile dans le foulard et, en le dépliant, la fourchette se transforme en un couteau.

LE MATÉRIEL

Une fourchette, un couteau et un foulard.

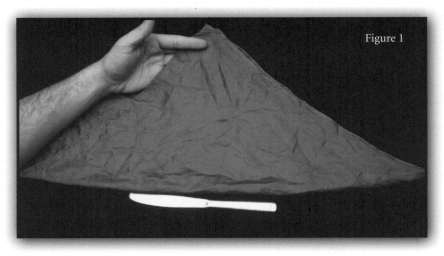

Figure 1

LA MÉTHODE

Pour présenter ce tour, vous devez faire une préparation secrète. Placez un couteau sur la table et couvrez-le du foulard (figure 1). Une fois que le foulard est étendu sur le couteau, il est impossible de voir ce dernier, puisqu'il est plat (figure 2).

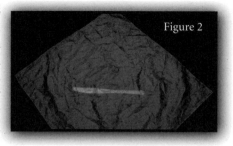

Figure 2

Nous avons utilisé un foulard légèrement transparent dans les photographies, afin de mieux comprendre les différentes étapes du tour. Par contre, en représentation, vous devez utiliser un foulard opaque, sinon vos spectateurs verront votre préparation.

Placez la fourchette par-dessus le couteau au centre du foulard (figure 3). Agrippez la fourchette et le couteau ainsi que le foulard et commencez à rouler le tout ensemble (figure 4).

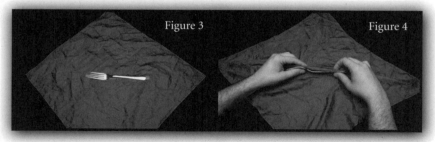

Figure 3

Figure 4

Continuez à rouler les ustensiles ensemble dans le foulard (figure 5). Quand celui-ci est entièrement roulé, continuez à tourner jusqu'à ce que les deux extrémités du foulard changent de place (figure 6).

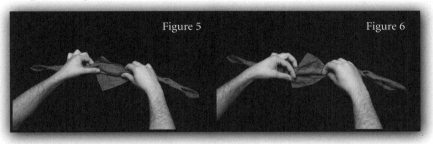

Figure 5 Figure 6

Après avoir interchangé les coins, agrippez-les et tirez vers l'extérieur afin d'ouvrir le foulard (figure 7). Vous verrez que le couteau sera exposé et la fourchette se retrouvera sous le foulard, puisqu'en inversant les coins du foulard, vous avez retourné celui-ci (figure 8).

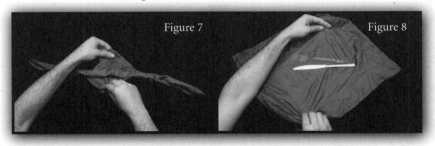

Figure 7 Figure 8

Il ne vous reste plus qu'à prendre le couteau et le montrer à vos spectateurs.

LA PRÉSENTATION

N'oubliez pas qu'à la fin la fourchette se retrouve sur la table et sous le foulard.

Pour remédier à ce petit problème, il suffit d'agripper la fourchette au travers du foulard au moment même où vous montrez le couteau à vos spectateurs (figure 9). Soulevez le foulard de la table en tenant la fourchette (la figure 10 montre la position finale).

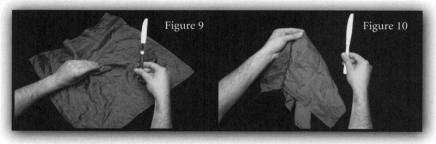

Figure 9

Figure 10

Rangez le foulard avec la fourchette à l'intérieur. Vous pourriez également placer une boîte à l'arrière de votre table, boîte dans laquelle vous pourriez relâcher la fourchette. Tentez de rembourrer la boîte avec un coussin afin de limiter le bruit. Ceci vous permettrait aussi de donner le foulard à vos spectateurs pour qu'ils l'examinent.

Utilisez ce tour lorsque vous êtes à table. Dans un restaurant, vous pourriez changer un ustensile pour un autre lorsqu'il vous manque un couteau par exemple.

LES NŒUDS DANS LE CHAPEAU

L'EFFET

Le magicien roule une corde autour de sa main et place la corde dans un chapeau. En retirant la corde du chapeau, on aperçoit que trois nœuds se sont formés sur la corde.

LE MATÉRIEL

Une corde d'au moins 1 mètre de long. Un chapeau ou une boîte.

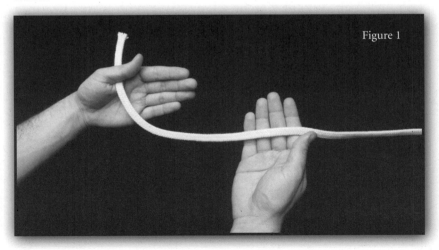

Figure 1

LA MÉTHODE

Cette technique est basée sur une façon spéciale de placer les cordes dans la boîte ou le chapeau.

Tenez l'extrémité de la corde en main gauche. Avec votre main droite, paume vers le haut, prenez la corde à environ 30 centimètres de distance de votre main gauche (figure 1). Fermez votre poing sur la corde et retournez votre main vers l'intérieur afin qu'elle soit tournée paume vers le bas. Cette action formera une boucle dans la corde (figure 2).

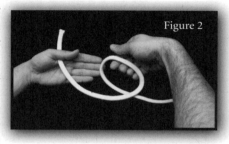

Figure 2

Approchez votre main droite de votre paume gauche et déposez la boucle sur la main gauche (figure 3). Une fois que la corde est posée, reprenez la corde avec votre main droite à environ 30 centimètres (figure 4).

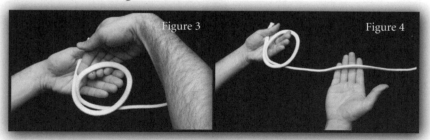

Figure 3

Figure 4

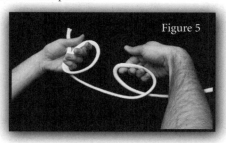

Figure 5

Reprenez les actions que vous avez faites avec la première boucle. Retournez votre main droite (figure 5) et déposez la corde sur votre paume gauche.

Reprenez l'action une troisième fois afin de vous retrouver avec trois boucles sur la main gauche (figure 6). Par la suite, passez les doigts de votre main droite sous les boucles dans votre main gauche et agrippez le bout de corde tenu au départ par votre main gauche entre l'index et le majeur de votre main droite (figure 7).

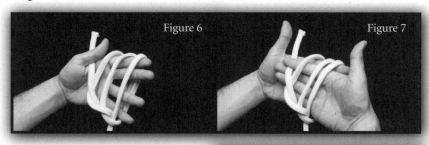

Figure 6

Figure 7

Figure 8

Vous pouvez maintenant enlever votre main gauche, puisque la corde est soutenue totalement par votre main droite. Déposez la corde dans la boîte ou le chapeau en laissant glisser la corde par-dessus vos doigts. Faites attention de toujours tenir l'extrémité de la corde entre votre index et votre majeur (figure 8).

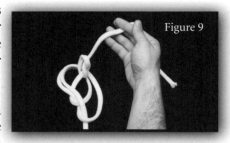

Figure 9

Il ne vous reste plus qu'à retirer la corde de votre boîte ou de votre chapeau en la secouant légèrement (figure 9) et les nœuds se formeront automatiquement.

Figure 10

Si vous tirez sur la corde de façon progressive et que vous la secouez légèrement, les espaces entre les nœuds devraient être égaux (figure 10).

LA PRÉSENTATION

Ce tour donne l'impression que les nœuds se forment d'eux-mêmes sur la corde. Vous pouvez dire à vos spectateurs que ce sont des fantômes qui font les nœuds.

Vous pouvez aussi placer une figurine ou une peluche dans une boîte et expliquer qu'elle va s'animer et faire des nœuds dans la corde. Placez la corde dans la boîte et, en la ressortant, les spectateurs pourront constater les talents de votre jouet favori!

LES EXPERTS

Nous avons décrit le tour avec trois nœuds qui apparaissent sur la corde. Vous pourriez faire la technique à plusieurs reprises et même raccourcir les anneaux de corde, ce qui permettrait d'avoir encore plus de nœuds !

SAVIEZ-VOUS QUE...

Lorsque les magiciens parlent d'illusions, ils font référence à un type de magie. Bien que ce mot soit utilisé de façon générale pour décrire un tour de magie, on l'utilise surtout pour décrire les tours à grand déploiement qui sont présentés sur la scène. Une des illusions les plus célèbres est le fameux tour de *La femme coupée en deux*.

LA PIÈCE AU TRAVERS
DE LA TABLE

L'EFFET
Le magicien arrive à faire traverser une pièce de monnaie au travers d'une table !

LE MATÉRIEL
Une pièce de monnaie.

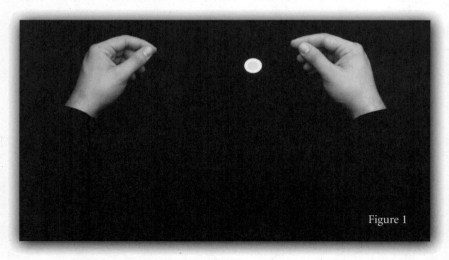

Figure I

LA MÉTHODE

Nous avons déjà vu un tour qui utilise cette technique : La salière qui disparaît.

Placez la pièce sur la table devant vous (figure 1). Assurez-vous que vos genoux sont bien collés ensemble, car vous laisserez tomber la pièce sur vos jambes. Il ne faudrait pas que la pièce tombe par terre !

Figure 2

Votre main droite se place sur la pièce, paume vers le bas (figure 2).

La main droite glisse la pièce vers le bord de la table. Une fois arrivée au bord de la table, votre main laisse tomber la pièce sur vos jambes, puis se referme comme si vous teniez la pièce (figure 3).

Votre main droite se soulève de la table et se retourne, le dos de la main vers les spectateurs (figure 4). Toute votre attention est fixée sur votre main droite, puisqu'elle contient théoriquement la pièce.

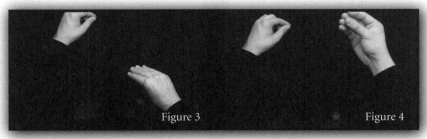

Figure 3

Figure 4

Par la suite, votre main gauche se place sous la table à votre gauche (figure 5). Ne prenez pas la pièce tout de suite.

Penchez-vous et placez votre main droite au-dessus de la table. À ce moment, votre bras gauche se courbe vers l'intérieur et votre main gauche agrippe la pièce (figure 6).

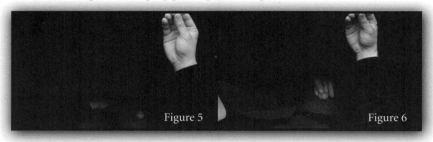

Figure 5   Figure 6

Faites un mouvement de la main droite, comme si vous lanciez la pièce au travers de la table (figure 7).

Il ne vous reste plus qu'à retirer votre main gauche de sous la table pour montrer que la pièce a traversé la table (figure 8).

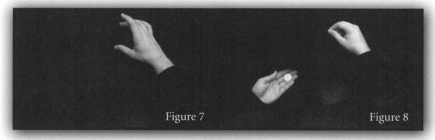

Figure 7   Figure 8

LA PRÉSENTATION

L'élément le plus important de ce tour est l'orientation du regard. Concentrez toute votre attention sur votre main droite, car c'est elle qui paraît contenir la pièce. Si vous êtes convaincu que la pièce se trouve dans votre main, vous réussirez certainement à convaincre vos spectateurs.

LES EXPERTS

Il est possible de réaliser ce tour avec d'autres petits objets. Voyons comment vous allez utiliser cette technique.

SAVIEZ-VOUS QUE...

Le premier magicien à faire apparaître un lapin dans un chapeau a été John Henry Anderson dans les années 1830. Ce tour a par la suite été popularisé par les caricaturistes de l'époque qui dessinaient les magiciens avec un lapin sortant d'un chapeau. Aujourd'hui, les magiciens utilisent encore des lapins en spectacle, mais très peu les font apparaître dans un chapeau.

LE FRONT
MAGNÉTIQUE

L'EFFET
Le magicien démontre à un spectateur que son front est magnétique. Après avoir démontré qu'il peut coller une pièce de monnaie sur son front, il offre au spectateur d'essayer à son tour. Le magicien arrive à faire coller la pièce de monnaie sur le front du spectateur. En finale, le magicien arrive à faire disparaître la pièce pendant qu'elle se trouve sur le front du spectateur.

Figure 1

LE MATÉRIEL
Une pièce de monnaie.

LA MÉTHODE
Pour démontrer que la pièce colle sur votre front (figure 1), vous n'avez qu'à placer la pièce sur votre front ! Puisque la pièce n'est pas très lourde, elle devrait coller sur votre peau. Si vous avez la peau trop sèche

et que la pièce ne colle pas, vous pouvez la mouiller discrètement avec un peu de salive.

Il ne vous reste plus qu'à coller la pièce sur le front de votre spectateur. Placez la pièce une première fois, afin que le spectateur la sente sur son front (figure 2).

Figure 2

Enlevez la pièce en prétextant qu'elle ne colle pas bien. Faites semblant d'essayez de nouveau, mais cette fois, cachez la pièce en empalmage des doigts de la main droite (figure 3). Appuyez votre pouce contre le front de votre spectateur (figure 4). Il aura la sensation qu'une pièce y est collée.

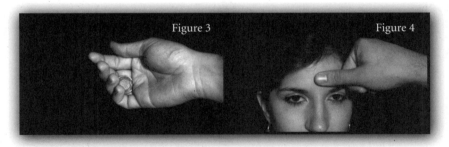

Figure 3

Figure 4

Il ne vous reste plus qu'à demander au spectateur de toucher son front afin de se rendre compte que la pièce a disparu!

LA PRÉSENTATION

Ce tour peut sembler un peu audacieux. Afin d'aider le spectateur à avoir la sensation que la pièce est bel et bien sur son front, certains magiciens recommandent de mouiller la pièce avant de faire le tour. Cela aide la pièce à coller et les quelques gouttes d'eau donnent vraiment l'impression au spectateur que la pièce se trouve sur son front.

LES EXPERTS

Une fois que vous avez la pièce empalmée dans votre main droite, tentez de la laisser tomber dans une poche. Vous pouvez aussi la produire à un autre endroit que votre main. Voyons ce que vous allez trouver comme solution !

SAVIEZ-VOUS QUE...

Howard Thurston (1869-1936), né en Ohio, s'enfuit très jeune de la maison parentale pour devenir un manipulateur de cartes dans un spectacle de vaudeville ambulant. Plus tard, il présenta des spectacles avec Harry Kellar. Kellar remit sa baguette magique  à Thurston à la fin de sa tournée d'adieux, faisant ainsi de lui son successeur officiel. Thurston devint rapidement célèbre et il présenta de nombreux numéros. Pour l'un d'entre eux, il utilisait un immense chapeau duquel il faisait apparaître des objets et même des personnes pendant près de vingt minutes.

LES OISEAUX S'ENVOLENT

L'EFFET
Le magicien colle deux petits bouts de papier sur ses index.
Il appuie ses index sur le bord d'une table et explique que les
deux bouts de papier sont comme des oiseaux qui s'envolent et
se posent sur une branche. Il poursuit en faisant disparaître et
réapparaître les bouts de papier sur ses doigts.

LE MATÉRIEL
Une enveloppe.

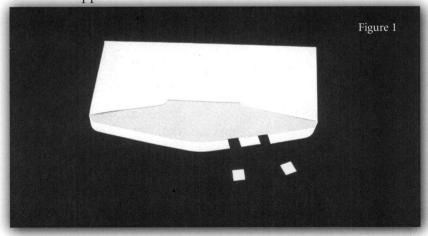

Figure 1

LA MÉTHODE

Vous devez coller deux petits bouts de papier sur vos index. Afin de faciliter le processus, nous vous suggérons de découper deux petits bouts dans la languette d'une enveloppe (figure 1). Compte tenu que le papier est déjà recouvert de colle, vous n'aurez qu'à le mouiller et le coller sur les ongles de vos index. Il sera également plus facile de les enlever par la suite que si vous aviez utilisé de la colle !

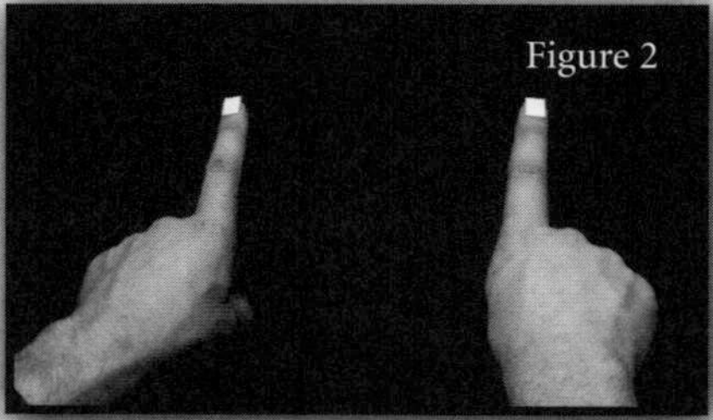

Une fois les papiers collés sur vos index, appuyez ces derniers sur le bord d'une table et recourbez vos autres doigts afin que seuls vos index soient visibles (figure 2).

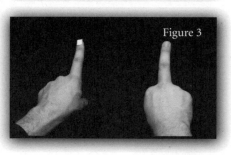

Figure 2

Vous allez maintenant faire disparaître les deux petits bouts de papier. Pour y arriver, il suffit de soulevez votre main de la table d'environ 30 centimètres. Lorsque votre main est au-dessus de la table, repliez votre index et dépliez votre majeur. Rapprochez votre main de la table et appuyez votre majeur sur le bord de la table (figure 3). Vous faites ainsi passer votre majeur pour votre index et vous donnez l'impression que le petit bout de papier a disparu.

Figure 3

Reprenez la même opération avec la main gauche pour faire disparaître le papier de l'index gauche (figure 4).

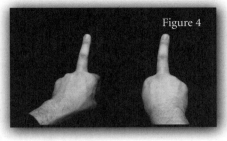

Figure 4

Pour faire réapparaître les papiers sur vos doigts, il suffit de faire l'opération inverse. Soulevez votre main, repliez votre majeur, dépliez votre index et appuyez votre doigt contre la table (figure 5). Faites-le une deuxième fois avec votre autre main (figure 6) et les deux petits bouts de papier réapparaîtront !

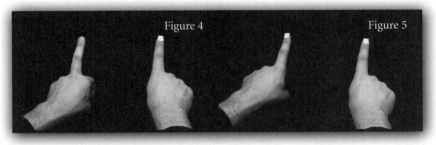

Figure 4   Figure 5

LA PRÉSENTATION

La présentation classique de ce tour consiste à dire : « Envole-toi, petit oiseau ! » lorsque vous faites disparaître le bout de papier, et « Reviens, petit oiseau ! » lorsqu'il réapparaît.

Vous pourriez innover et trouver d'autres objets ou images qui pourraient remplacer les bouts de papier.

L'IMPOSSIBLE
INVERSION

L'EFFET

Le magicien place un billet de 5 $ par-dessus un billet de 20 $. Il les roule et demande à un spectateur de tenir le coin des billets en place. En les déroulant, les billets ont changé de place : le 20 $ est maintenant par-dessus le 5 $.

LE MATÉRIEL

Deux billets de banque différents. Nous utilisons ici un billet de 5 $ et un billet de 20 $.

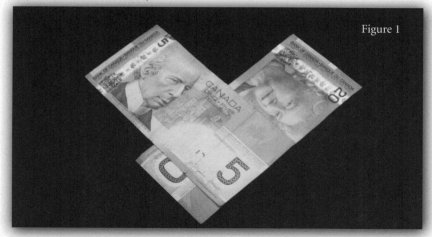

Figure 1

LA MÉTHODE

Cette technique ressemble à celle utilisée dans les tours Le crayon à travers la serviette et La fourchette se transforme en couteau.

Placez le billet de 5 $ par-dessus le billet de 20 $ afin que les deux billets soient en diagonale (figure 1). Décalez le billet légèrement (environ 1 centimètre), comme sur la figure 1, pour que les billets soient mieux positionnés pour les étapes qui suivent. Commencez à rouler les billets ensemble afin que les deux côtés soient égaux (figure 2).

Figure 2

Une fois que les billets sont roulés jusqu'à la moitié de leur longueur, commencez à rouler en vous orientant un peu plus vers le côté où se trouve le billet de 5 $ (figure 3). Une fois les billets entièrement roulés, le billet de 20 $ devrait faire le tour de votre rouleau et passer par-dessus celui de 5 $ (figure 4). C'est cette action qui change les billets de place.

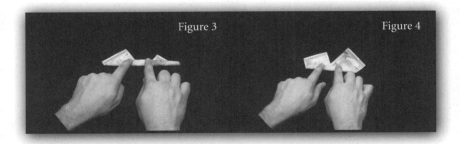

Figure 3

Figure 4

La position des billet n'est plus tout à fait symétrique, mais cela ne devrait pas être remarqué par vos spectateurs.

Demandez à un spectateur de tenir un coin de chacun des deux billets (figure 5) pour que vous ne puissiez pas changer les billets de place. En réalité, vous avez déjà exécuté la technique qui permet aux billets de changer de place et le spectateur ne s'est rendu compte de rien !

Il ne vous reste plus qu'à dérouler les billets jusqu'au bout et à montrer que le 20 $ est rendu par-dessus le 5 $ (figure 6).

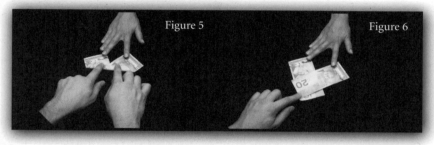

Figure 5

Figure 6

LA PRÉSENTATION

Au lieu de prendre des billets de banque, vous pourriez utiliser des bouts de papier illustrant une histoire. Vous pourriez, par exemple, dessiner un magicien sur un billet et un mur de brique sur l'autre et présenter une version du magicien qui traverse un mur.

LES MAINS LIÉES
ET LE BRACELET

L'EFFET

Le magicien demande à un spectateur de lui lier les poignets avec une corde. Il donne par la suite au spectateur un bracelet pour qu'il l'examine et vérifie qu'il n'a pas de trou. Le magicien se retourne pour faire dos au public pour quelques instants. Lorsqu'il refait face aux spectateurs, le bracelet se trouve sur la corde qui lie ses mains!

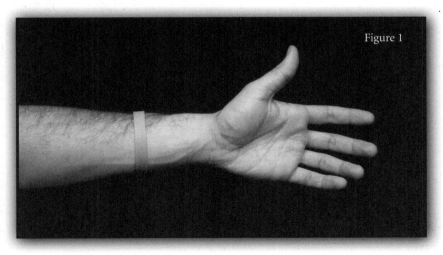

Figure 1

LE MATÉRIEL
Une corde, deux bracelets identiques et une veste ou un chandail à manches longues.

LA MÉTHODE
Vous devez cacher un deuxième bracelet sur votre poignet (figure 1). Cette préparation est ensuite couverte avec votre manche. Demandez à un spectateur de vous attacher les poignets (figure 2). Vous pouvez même insister pour qu'il fasse plusieurs nœuds, puisque ceci n'a aucune incidence sur le tour.

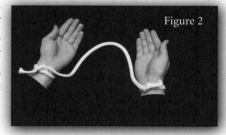

Figure 2

Prenez le deuxième bracelet et faites-le examiner par vos spectateurs. Reprenez-le et tenez-le en main droite (figure 3). Retournez-vous, dos au public. Insérez le deuxième bracelet dans l'ouverture de votre manche et tentez de le placer assez loin pour qu'il ne tombe pas (figure 4). Ressortez ensuite le premier bracelet de votre manche en le faisant glisser sur votre poignet. Puisque

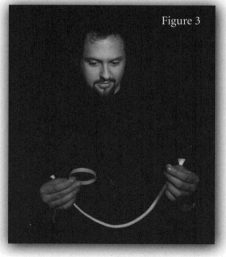

Figure 3

ce premier bracelet était déjà sur votre bras, il se retrouvera automatiquement sur la corde qui lie vos deux mains.

Il ne vous reste plus qu'à vous retourner pour faire face au public et à montrer que vous avez réussi à faire passer le bracelet au travers de la corde (figure 5).

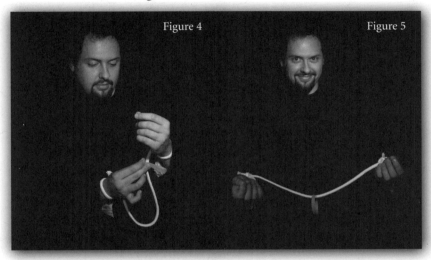

Figure 4   Figure 5

LA PRÉSENTATION

Afin de rendre ce tour encore plus magique, pratiquez-vous pour l'exécuter très rapidement. En ne vous retournant qu'un bref instant, les spectateurs seront encore plus convaincus que vous avez vraiment réussi à faire passer le bracelet au travers de la corde.

LES EXPERTS

Il peut sembler complexe d'avoir à se débarrasser du deuxième bracelet inséré dans votre manche. Pour remédier à ce problème, allez simplement chercher un objet dans votre boîte ou dans votre valise et laissez-le tomber à l'intérieur.

SAVIEZ-VOUS QUE...

Le magicien canadien Dai Vernon (1894-1992), surnommé par ses pairs « Le Professeur », a été un des magiciens les plus influents du xixe siècle. Il est considéré comme le plus grand spécialiste de la magie de cartes que le monde ait connu. Il est le père de la micromagie moderne et certaines de ses routines sont encore présentées par des magiciens partout dans le monde.

LA GRANDE TRANSPOSITION

L'EFFET

Le magicien présente deux boîtes qu'il place à deux extrémités de la scène. Il présente une corde, fait trois nœuds dans la corde et la place dans la boîte de gauche. Il introduit une deuxième corde qu'il place dans la boîte de droite. Il mime l'action de prendre un nœud et de l'envoyer de la boîte de gauche vers celle de droite. Il répète la même action une seconde fois. Finalement, il plonge sa main dans la boîte de gauche, extrait visuellement un petit nœud et le fait disparaître en direction de la boîte de droite.

En finale, le magicien extrait la corde de la boîte de gauche pour montrer que les trois nœuds ont disparu. Il sort par la suite la corde de la boîte de droite et montre que les nœuds sont réapparus sur l'autre corde.

LE MATÉRIEL

Deux cordes d'environ 1 mètre, un petit nœud comme celui fabriqué dans le tour Le nœud rebelle et deux contenants (vous pouvez utiliser deux boîtes, deux chapeaux, etc.)

LA MÉTHODE

Cette routine ressemble vraiment au genre de tour qu'on peut trouver dans le répertoire d'un magicien professionnel. Vous devrez donc combiner plusieurs connaissances et méthodes afin d'arriver à le présenter.

Premièrement, disposez les deux contenants aux extrémités de la scène ou de la table que vous utilisez pour votre performance. Les nœuds vont voyager du contenant de gauche à celui de droite lorsqu'on regarde le numéro : c'est la vision des spectateurs. C'est de cette façon que nous allons identifier les contenants.

Placez le petit nœud dans le contenant de gauche. C'est la seule préparation secrète nécessaire pour ce tour.

Prenez la première corde et faites trois nœuds. Ces nœuds sont similaires au faux nœud que vous avez appris dans le tour Le nœud rebelle. En tirant sur les nœuds, vous pourrez facilement les défaire et donc, les faire disparaître. Pour l'instant, placez simplement la corde avec les trois faux nœuds dans le contenant de gauche.

Par la suite, agrippez la deuxième corde et déposez-la dans le contenant de droite après l'avoir placé dans la position expliquée dans le tour Les nœuds dans le chapeau. La corde sera donc bien disposée, prête à faire apparaître trois nœuds.

Faites semblant de prendre un nœud invisible et de le faire voyager du contenant de gauche jusqu'au contenant de droite. Répétez l'opération une deuxième fois. Expliquez à votre public que, pour le troisième nœud, vous allez leur donner une preuve de ce que vous faites. Avec notre main droite, prenez le petit nœud dans le contenant de gauche, montrez-le et exécutez une disparition tourniquet expliquée dans le tour La pièce dans l'oreille. Vous donnerez donc l'impression que le nœud est dans votre main gauche, alors qu'il reste caché en main droite. Lancez le nœud (en réalité, vous ne lancez rien) avec votre main gauche et suivez le parcours du nœud avec votre regard jusque dans le contenant de droite.

Il ne vous reste plus qu'à terminer l'effet. Placez votre main droite dans le contenant de gauche et laissez tomber le nœud qui se trouve en empalmage des doigts de la main droite. Agrippez la corde avec votre main droite afin qu'en tirant avec votre main gauche les nœuds se dénouent et que la corde sorte intacte du contenant.

Il ne vous reste plus qu'à vous diriger vers le contenant de droite et à tirer la corde progressivement, comme expliqué dans le tour Les nœuds dans le chapeau, afin de montrer à vos spectateurs que les nœuds se trouvent maintenant sur cette corde.

LA PRÉSENTATION

Je vous ai décrit une routine complète, qui comprend plusieurs étapes. Afin de bien la réaliser, pratiquez plusieurs fois la routine en entier avant de la présenter devant un public. Il ne doit pas y avoir d'hésitation entre chaque phase de la routine.

Cette routine est un peu un défi que je vous lance. Elle combine plusieurs autres effets et techniques que vous avez appris tout au long de ce livre. Voyons si vous arrivez à la maîtriser.

SAVIEZ-VOUS QUE...

T. Nelson Downs (1867-1938) a été reconnu pour être le roi des pièces de monnaie. Il présentait son spectacle basé entièrement sur la magie des pièces. Son numéro le plus connu était *Le rêve de l'avare* où il faisait apparaître des dizaines de dollars en argent dans un chapeau emprunté. À une époque où le salaire mensuel était d'environ 1 dollar, ce tour était vraiment formidable.

LA PIÈCE
DANS LA BOÎTE

L'EFFET

Une boîte d'allumettes est montrée vide, puis elle est refermée. Le magicien claque des doigts et ouvre la boîte. On y trouve alors une pièce de monnaie.

LE MATÉRIEL

Une boîte d'allumettes et une pièce de monnaie.

Figure 1

LA MÉTHODE

Ce tour demande une petite préparation. Il faut tout d'abord coincer une pièce de monnaie entre le tiroir et le couvercle de la boîte d'allumettes de façon à ce que la pièce soit bien cachée (figures 1 et 2).

Figure 2

Une fois la pièce de monnaie en place, vous pouvez montrer que la boîte est vide (figure 3) et même retourner ou secouer légèrement la boîte (figure 4).

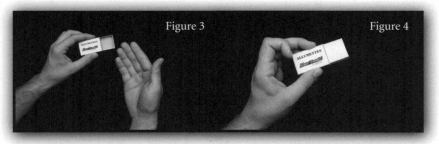

Figure 3   Figure 4

En fermant le tiroir, la pièce tombe à l'intérieur de la boîte (figure 5). Il suffit d'ouvrir cette dernière pour y trouver la pièce à l'intérieur et le tour est joué (figure 6) !

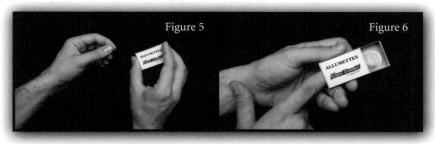

Figure 5 Figure 6

LA PRÉSENTATION

Ce tour est très rapide. Tentez de l'incorporer dans une autre routine. Vous pourriez, par exemple, poursuivre avec un numéro utilisant la pièce de monnaie.

Vous pouvez également montrer la boîte vide, la refermer, faire disparaître une pièce de monnaie et terminer votre présentation en faisant réapparaître la pièce dans la boîte.

SAVIEZ-VOUS QUE...

Le mentalisme est un type de magie où l'on donne l'impression de lire dans les pensées, de pouvoir prédire l'avenir ou encore de contrôler certains objets par la pensée. Certains mentalistes proposent de plier des ustensiles ou encore de conduire une voiture les yeux bandés.

LES TROMBONES CHINOIS

L'EFFET

Le magicien place deux trombones sur un bout de papier. En tirant sur le bout de papier, les deux trombones se libèrent du papier, sautent dans les airs et se lient !

LE MATÉRIEL

Un bout de papier (vous pourriez également utiliser un billet de banque) et deux trombones.

Figure 1

LA MÉTHODE

Avant tout, il est important de mentionner que, pour chacune des étapes, il ne faut jamais plier le papier (figure 1), sinon il y a de fortes chances qu'il se déchire lorsque vous tirerez pour la révélation.

Commencez par recourber le papier au tiers afin que la partie repliée soit égale à la partie qui dépasse (figure 2).

Figure 2

Figure 3

Placez le premier trombone au centre de la partie repliée (figure 3). Assurez-vous que le trombone est inséré jusqu'au fond. Vous allez maintenant courber la partie la plus longue du papier vers le bas. Appuyez le papier sur le trombone (figure 4). De cette façon, le papier sera recourbé le plus loin possible, sans toutefois plier le papier.

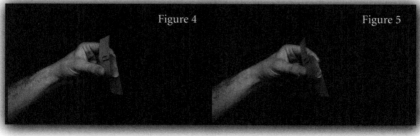

Figure 4

Figure 5

Il ne vous reste plus qu'à positionner le deuxième trombone entre le côté que vous venez de replier et la première courbure (figure 5). Par contre, faites attention de placer le trombone sur deux épaisseurs de papier et non trois. La figure 6 montre clairement la position des deux trombones et du papier.

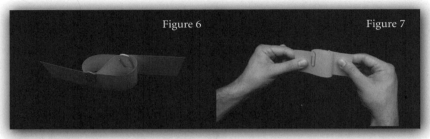

Figure 6   Figure 7

Tenez les deux extrémités du papier (figure 7). Il est important que les trombones soient vers le haut afin qu'ils sautent dans les airs.

Vous allez maintenant tirer de chaque côté du papier. Il est important de tirer assez fort, car si vous tirez trop lentement, les trombones risquent de déchirer le papier au centre. Par contre, faites attention de ne pas tirer trop

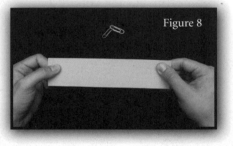

Figure 8

fort, car vous risqueriez de déchirer le papier. Il faut donc tirer avec une bonne force en s'assurant que vos mains restent à l'horizontale. Si l'une de vos mains tire vers le haut, cela pourrait également déchirer le papier. Une fois que vous avez tiré, vous verrez que les trombones se lient automatiquement (figure 8).

LA PRÉSENTATION

Vous pouvez faire référence au fameux tour des anneaux chinois souvent présenté par les grands magiciens. Le tour consiste à prendre deux anneaux de métal et à les faire passer l'un au travers de l'autre. Certains magiciens vont même jusqu'à lier huit anneaux ensemble !

Afin de rendre le tour encore plus pratique, vous pouvez emprunter un billet de banque et deux trombones et présenter le tour avec les objets empruntés.

LES EXPERTS

Si vous pratiquez le tour, vous arriverez à le préparer en quelques secondes. Pour ceux qui veulent aller encore plus loin, le prochain tour vous propose une version plus complexe de ce même tour.

LE DRAGON ET LA PRINCESSE ÉLASTIQUE

L'EFFET
Le magicien place deux trombones et un élastique sur un bout de papier. En tirant de chaque côté, les deux trombones se détachent du papier et se lient à l'élastique. Il est même possible de faire sauter dans les airs l'élastique et les trombones qui se sont liés.

Figure 1

LE MATÉRIEL

Un bout de papier (vous pourriez également utiliser un billet de banque), deux trombones et un élastique assez grand pour encercler le bout de papier.

LA MÉTHODE

Ce tour ressemble à celui des Trombones chinois, avec un élastique en plus. Assurez-vous donc de bien maîtriser le tour précédent.

Avant de faire le premier pli, placez l'élastique autour du papier (figure 1). Ajoutez ensuite le premier trombone comme pour le tour précédent (figure 2).

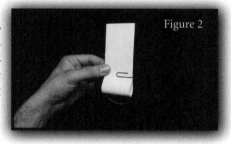

Figure 2

Repliez le papier (figure 3) et placez le deuxième trombone (figure 4). Ces étapes sont exactement les mêmes que pour Les trombones chinois.

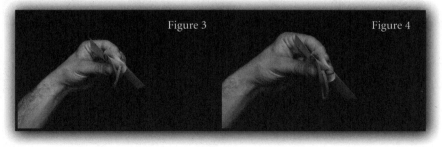

Figure 3   Figure 4

Vous vous retrouvez maintenant devant deux possibilités. Si vous laissez l'élastique dans la position actuelle (figure 5) et que vous tirez de chaque côté du papier, les deux trombones seront liés à l'élastique et ce dernier sera toujours autour du papier (figure 6).

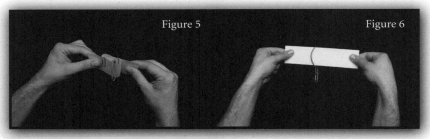

Figure 5   Figure 6

Cependant, vous pouvez aussi placer l'élastique de l'autre côté du papier. En laissant le papier dans sa position, étirez légèrement l'élastique, faites-le tourner autour du papier et positionnez-le de l'autre côté (figure 7). En tirant de chaque côté du papier, l'élastique sautera dans les airs en emportant avec lui les deux trombones (figure 8).

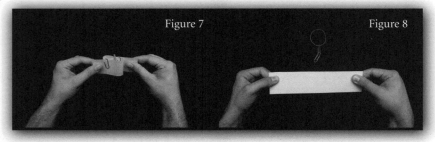

Figure 7   Figure 8

LA PRÉSENTATION

Le titre de ce tour est Le dragon et la princesse élastique, car vous pouvez raconter une histoire de chevalier en le réalisant !

Imaginez que le dragon (le bout de papier) kidnappe la princesse élastique (placez l'élastique autour du papier).

Le premier preux chevalier (le trombone) décide d'attaquer le dragon (placez le trombone sur le papier). Le dragon se retrouve blessé et se recourbe sur lui-même (pliez le papier).

Le deuxième chevalier attaque à son tour le dragon (placez le deuxième trombone sur le papier).

Après une longue bataille (placez l'élastique de l'autre côté, comme sur la figure 7), les chevaliers réussissent à sauver la princesse (tirez sur les côtés du papier).

Ils vécurent heureux… et n'eurent pas d'enfants, car ce ne sont que des trombones et un élastique après tout !

MOT DE LA FIN

Nous voilà déjà arrivés à la fin de ce premier tome. J'espère que les tours de ce livre vous ont plu. Le livre se termine, mais votre aventure ne fait que commencer. Après avoir appris et pratiqué les tours, vous devez maintenant créer vos présentations et peut-être même votre propre spectacle de magie.

Essayez de vous construire une boîte qui contiendra votre matériel. Faites une petite liste des tours que vous voulez présenter et tentez de les placer dans un ordre intéressant et varié. Gardez vos numéros spéciaux pour le début et la fin du spectacle. Ce sont les deux numéros dont vos spectateurs se souviendront le plus.

Tentez d'être créatifs. Essayez de remplacer le matériel suggéré par des objets similaires. Vous pouvez utiliser une paille au lieu d'un crayon, un foulard emprunté au lieu d'une serviette de table, etc. Laissez libre cours à votre imagination et vous pourrez ainsi présenter des tours originaux.

Je vous souhaite bonne chance et je vous invite à me rejoindre au tome 2 où nous aborderons mon type de magie préféré, la magie avec les cartes.

D'ici là, j'espère vous rencontrer dans les différents salons du livre en province, ainsi que lors de mes représentations dans les écoles. Je vous invite également à m'écrire pour me faire part de vos découvertes. Toutes les informations pour me joindre se trouvent à la fin du livre. N'hésitez pas à m'envoyer des idées, des commentaires ou des suggestions. J'adore recevoir de vos nouvelles !

À bientôt !

INDEX DES TOURS

INDEX DU MATÉRIEL

Voici les tours du livre classés en fonction du matériel utilisé pour les présenter. Cette liste pourra peut-être vous aider à créer vos propres routines et à faire des enchaînements entre les différents tours. Essayez de créer un spectacle diversifié et rempli de rebondissements. Amusez-vous !

CONTACTS

Pour plus d'informations sur les tours de ce livre, la magie en général, les spectacles et les cours de magie, n'hésitez pas à me contacter ; il me fera plaisir de répondre à vos questions.

Marc Trudel
www.marctrudelmagicien.com
info@marctrudelmagicien.com
514-802-4300

www.lescoulissesdelamagie.com
Ce site Internet est rempli de surprises et d'informations sur la série de livres. Pour ceux qui désirent consulter la section secrète du tome 1 sur le site, le code secret est :

CHAPEAU

CRÉDITS ICONOGRAPHIQUES

p. 31
Tiré du programme *David Copperfield World Tour* acquis lors de son spectacle « *An Intimate Evening of Grand Illusion* ». Page 14 en comptant la couverture, première image de la section « *Highlights of his Life* ».

p. 37
The Blackstone Book of Magic & Illusion, Harry Blackstone Jr., New York, Newmarket Press, 1985, planche couleur n° 6.

p. 42
Histoire illustrée de la prestidigitation, Max Dif, Paris, Éditeur Maloine, 1986, p. 13.

p. 50
Houdini: His Life And Art, The Amaring Randi & Bert Randolph Sugar, New York, Grosset & Dunlap, A Filmways Company, 1976, 192 pages. (Photo tirée de la jaquette. Photo de Mrs. Marie Hilson.)

p. 54
The Glorious Deception, Jim Steinmeyer, New York, Carroll & Graf, 2005, page 208.

p. 60
Magic A Picture History, Milbourne Christopher, New York, Dover Publications, 1962, planche couleur n° 4.

p. 82
The Secrets of Stage Conjuring, Robert-Houdin, London, George Routledge And Sons, Ludgate Hill, 1900, 256 pages. (La photo est sur la couverture du livre – sur la jaquette.)

p. 99
Tiré du site Internet : www.brachetti.com. Photo de Pascalito – Paris

p. 102
Magic Magazine, vol. 10, n° 11, Juillet 2001, page 44.

p. 107
Tiré de la couverture du DVD : *The Magic Show*, Image Entertainment, 1981.

p. 112
The Big Book of Magic Fun, Ian Keable, New York Barron's, 2005, p. 13.

p. 115
The Illustrated History of Magic – Updated Edition, Milbourne and Maurine Christopher, New York, Carroll & Graf, 2006, planche couleur n° 1.

p. 129
The Magic of David Copperfield, tiré d'un programme distribué à la fin d'un spectacle, page 17.

p. 136
The Blackstone Book of Magic & Illusion, Harry Blackstone Jr., New York, Newmarket Press, 1985, planche couleur n° 3.

p. 147
Doug Henning's World of Magic, tiré d'un programme distribué à la fin d'un spectacle, page 23.

p. 151
Magic: A Picture History, Milbourne Christopher, New York, Dover Publications, 1991 [1962], page 87.

p. 154
Magic A Picture History, Milbourne Christopher, New York, Dover Publications, 1962, planche couleur n° 8.

p. 164
The Vernon Chronicles Volume 1, Stephen Minch, Lake Tahoe, California, L&L Publishing, 1987, 235 pages. (Photo tirée de la 2e page du livre avant que la numérotation de page commence.)

p. 168
The Encyclopedia of Magic and Magicians, T. A. Waters, New York, Facts On File Publications, 1988, page 112. (Photo tirée du Mulholland Library of Conjuring & the Allied Arts, Los Angeles, California.)

La production du titre : *Les coulisses de la magie, 1. Les classiques* sur 3 197 lb de papier Enviro 120M plutôt que sur du papier vierge aide l'environnement des façons suivantes :

Arbres sauvés : 27
Évite la production de déchets : 783 kg
Réduit la quantité d'eau : 74 094 L
Réduit les matières en suspension dans l'eau : 5,0 kg
Réduit les émissions atmosphériques : 1 720 kg
Réduit la consommation de gaz naturel : 112 m^3

Marquis imprimeur inc.

Québec, Canada
2008